교과서

GO! 매쓰

GO!

Run-C
교과서 사고력

수학 **4**-2

구성과 특징

1 주차 교과 집중 학습

1 교과서 개념 완성

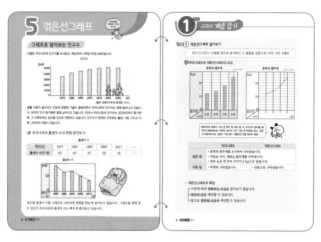

재미있는 수학 이야기로 단원에 대한 흥미를 높이고, 교과서 개념과 기본 문제를 학습합니다.

2 교과서 개념 PLAY

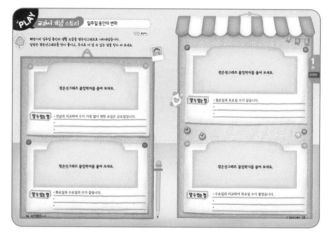

게임으로 개념을 학습하면서 집중력을 높여 쉽게 개념을 익히고 기본을 탄탄하게 만듭니다.

3 문제 풀이로 실력 & 자신감 UP!

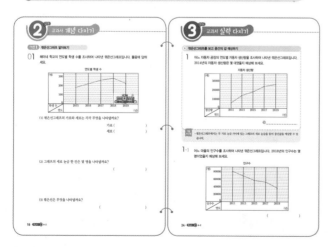

한 단계 더 나아간 교과서와 익힘 문제로 개념을 완성하고, 다양한 문제 유형으로 응용력을 키웁니다.

4 서술형 문제 풀이

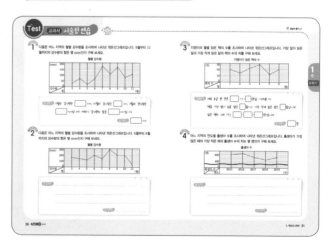

시험에 잘 나오는 서술형 문제 중심으로 단계별로 풀이하는 연습을 하여 서술하는 힘을 높여 줍니다.

2 주차 사고력 확장 학습

1 사고력 PLAY

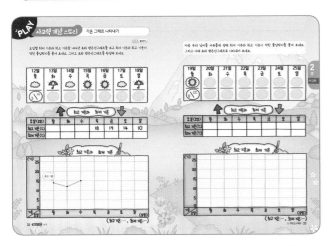

교과 심화 문제와 사고력 문제를 게임으로 쉽게 접근하여 어려운 문제에 대한 거부감을 낮추고 집중력을 높입니다.

2 교과 사고력 잡기

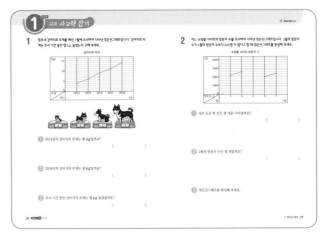

문제에 필요한 요소를 찾아 단계별로 해결하면서 문제 해결력을 키울 수 있는 힘을 기릅니다.

3 교과 사고력 확장 + 완성

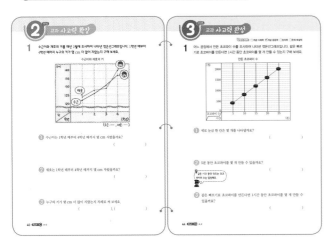

틀에서 벗어난 생각을 하여 문제를 해결하는 창의적 사고력을 기를 수 있는 힘을 기릅니다.

4 종합평가 / 특강

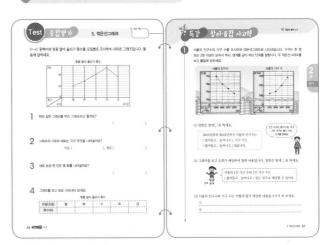

교과 학습과 사고력 학습을 얼마나 잘 이해하였는지 평가하여 배운 내용을 정리합니다.

5 꺾은선그래프

기대수명을 그래프로 나타내 보아요.

그래프로 알아보는 인구수

다음은 우리나라의 인구수를 조사하고, 예상하여 나타낸 막대그래프입니다.

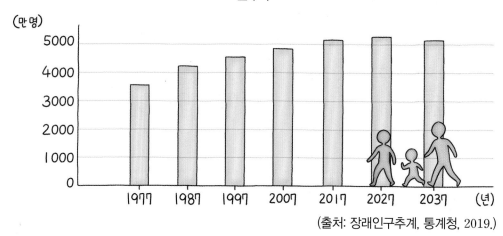

인구수

(출처: 장래인구추계, 통계청, 2019.)

생활 수준이 높아지고 건강에 관련된 기술이 발달하면서 우리나라의 인구수는 점점 늘어나고 있습니다. 하지만 인구 증가폭은 점점 낮아지고 있습니다. 따라서 우리나라의 인구수는 2028년까지 증가한 후, 그 이후부터는 감소할 것으로 전망되고 있습니다. 인구수가 변하는 이유로는 출생, 사망 그리고 다른 나라로의 이동이 있습니다.

☆ 우리나라의 출생아 수의 변화 알아보기

출생아 수

연도(년)	1977	1987	1997	2007	2017	……
출생아 수(만 명)	83	62	67	50	36	……

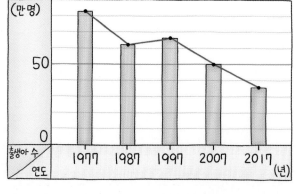

출생아 수

연도별 출생아 수를 그래프로 나타내면 변화를 한눈에 알아보기 쉽습니다. 그래프를 통해 알 수 있듯이 우리나라의 출생아 수는 빠르게 줄어들고 있습니다.

☆ 기대수명의 변화 알아보기

기대수명은 그해에 태어난 출생아가 앞으로 몇 년을 살 것인지를 예상한 평균 생존 연수입니다. 예를 들어 2017년의 기대수명이 83세이면 2017년에 태어난 사람은 83세까지 살 것으로 예상합니다. 우리나라의 기대수명은 1970년 이후로 빠른 속도로 늘어났습니다.

기대수명

연도(년)	1977	1987	1997	2007	2017
기대수명(세)	65	70	75	80	83

🔦 위 기대수명 표를 보고 막대그래프로 나타내어 보세요.

기대수명

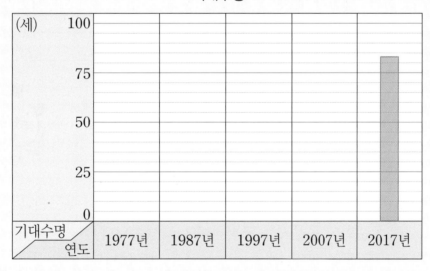

🔦 앞으로의 기대수명이 늘어날 것인지 줄어들 것인지 예상하여 써 보세요.

_____

_____

개념 1 꺾은선그래프 알아보기

꺾은선그래프: 수량을 점으로 표시하고 그 점들을 선분으로 이어 그린 그래프

✦ 막대그래프와 꺾은선그래프의 비교

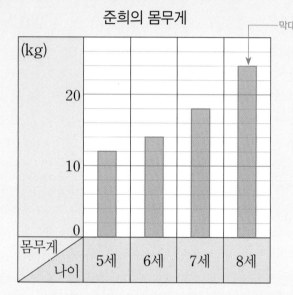

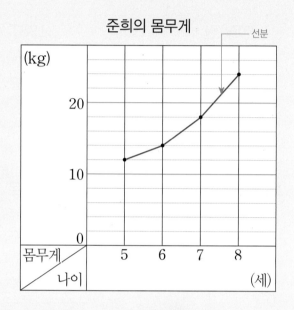

몸무게의 변화가 가장 큰 때가 몇 세와 몇 세 사이인지 알아볼 때 막대그래프에서는 막대의 길이의 차가 가장 큰 부분을 찾고, 꺾은선그래프에서는 선분이 가장 많이 기울어진 곳을 찾아야 해요.

	막대그래프	꺾은선그래프
같은 점	• 준희의 몸무게를 조사하여 나타냈습니다. • 가로는 나이, 세로는 몸무게를 나타냅니다. • 세로 눈금 한 칸의 크기가 2 kg으로 같습니다.	
다른 점	• 막대로 나타냈습니다.	• 선분으로 나타냈습니다.

• 꺾은선그래프의 특징

— 시간에 따라 변화하는 모습을 알아보기 쉽습니다.

— 중간의 값을 예상할 수 있습니다.

— 앞으로 변화될 모습을 예상할 수 있습니다.

개념 확인 문제

◈ 동생의 몸무게를 매년 2월에 조사하여 나타낸 그래프입니다. 물음에 답하세요.

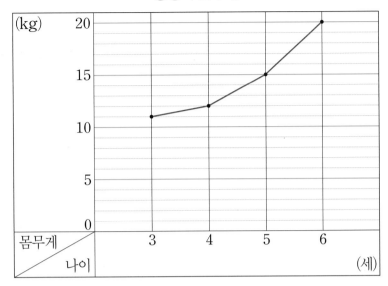

동생의 몸무게

1-1 위와 같은 그래프를 무슨 그래프라고 할까요?

(   )

1-2 그래프의 가로와 세로는 각각 무엇을 나타낼까요?

가로 (   )

세로 (   )

1-3 세로 눈금 한 칸은 몇 kg을 나타낼까요?

(   )

1-4 꺾은선이 나타내는 것은 무엇의 변화일까요?

(   )

개념 2 꺾은선그래프를 보고 내용 알아보기

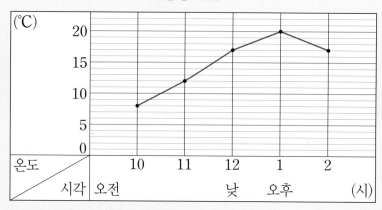

운동장의 온도

- 온도가 가장 높은 때는 오후 1시입니다.
- 세로 눈금 한 칸은 1 ℃를 나타냅니다.
- 온도가 올라가다가 내려가는 것을 알 수 있습니다.
- 온도의 변화가 가장 큰 때는 오전 11시와 낮 12시 사이입니다.

참고 선의 기울기와 변화 정도

증가

변화 없음

감소

개념 3 물결선을 사용한 꺾은선그래프의 특징 알아보기

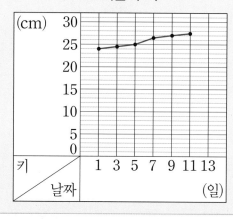
㈎ 식물의 키

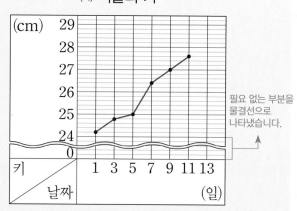
㈏ 식물의 키

필요 없는 부분을 물결선으로 나타냈습니다.

- ㈎ 그래프와 ㈏ 그래프는 식물의 키를 조사하여 나타낸 것입니다.
- ㈏ 그래프에는 물결선이 있습니다.
  ➡ ㈏ 그래프는 필요 없는 부분을 줄여서 나타냈기 때문에 식물의 키가 변화하는 모습이 ㈎ 그래프보다 잘 나타납니다.

개념 확인 문제

2-1 어느 지역의 사과 생산량을 조사하여 나타낸 꺾은선그래프입니다. 물음에 답하세요.

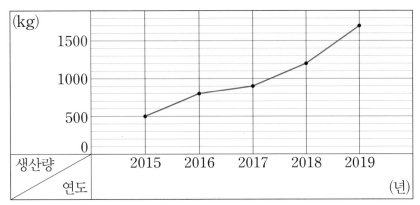

(1) 사과 생산량이 어떻게 변했는지 알맞은 것에 ○표 하세요.

사과 생산량이 점점 줄어들고 있습니다.   (   )

사과 생산량이 점점 늘어나고 있습니다.   (   )

(2) 사과 생산량이 가장 많이 변한 때는 몇 년과 몇 년 사이일까요?

(   )

3-1 매년 5월에 보영이의 키를 재어 두 꺾은선그래프로 나타내었습니다. 두 그래프 중에서 값을 읽기가 더 편한 그래프의 기호를 쓰고, 2019년의 키는 2017년보다 몇 cm 더 자랐는지 구해 보세요.

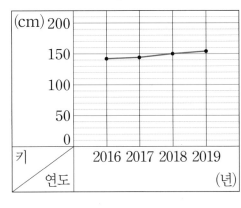

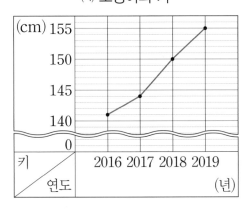

읽기가 더 편한 그래프 (   )

키의 변화 정도 (   )

개념 4 자료를 조사하여 꺾은선그래프 그리기

• 지진 발생 횟수를 조사하여 꺾은선그래프로 나타내기

지진 발생 횟수

연도(년)	2008	2010	2012	2014	2016	2018
횟수(회)	50	40	50	40	250	120

→ 조사한 수 중에서 가장 큰 수

① 가로와 세로에 무엇을 나타낼 것인가를 정합니다.
　→ 가로: 연도, 세로: 횟수
② 눈금 한 칸의 크기를 정하고, 조사한 수 중에서 가장 큰 수를 나타낼 수 있도록 눈금의 수를 정합니다.
　→ 세로 눈금 한 칸의 크기: 10회, 가장 큰 수: 250회
③ 가로 눈금과 세로 눈금이 만나는 자리에 점을 찍습니다.
④ 점들을 선분으로 잇습니다.
⑤ 꺾은선그래프에 알맞은 제목을 붙입니다.

지진 발생 횟수

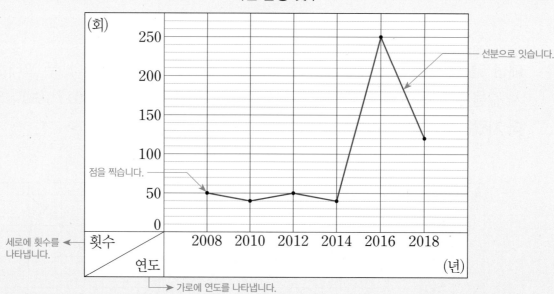

세로에 횟수를 나타냅니다.
점을 찍습니다.
선분으로 잇습니다.
가로에 연도를 나타냅니다.

참고 물결선을 사용하여 꺾은선그래프로 나타낼 때에는 조사한 수 중에서 가장 작은 수보다 작은 부분을 물결선으로 표시하여 나타냅니다.

개념 확인 문제

4-1 한 달 동안 어느 지역의 최고 기온을 조사하여 나타낸 표를 보고 꺾은선그래프로 나타내려고 합니다. 물음에 답하세요.

최고 기온

날짜(일)	1	8	15	22	29
기온(℃)	8	13	17	16	12

(1) 꺾은선그래프의 가로와 세로에는 각각 무엇을 나타내어야 할까요?

가로 (   ), 세로 (   )

(2) 세로 눈금 한 칸은 몇 ℃로 나타내어야 할까요?

(   )

(3) 꺾은선그래프로 나타내어 보세요.

개념 **5** 꺾은선그래프의 활용

• 꺾은선그래프의 내용 알아보기

리듬체조 리본 종목 최고 점수

연도(년)	점수(점)
2016	16
2017	16.4
2018	16.5
2019	16.8

리듬체조 리본 종목 최고 점수

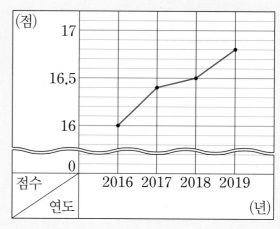

➡ 점수가 점점 올라가고 있습니다.

➡ 전년과 비교했을 때 점수가 가장 많이 오른 때는 2017년입니다.

• 리듬 체조 선수의 기록을 나타낸 두 꺾은선그래프를 보고 내용 알아보기

난도 점수

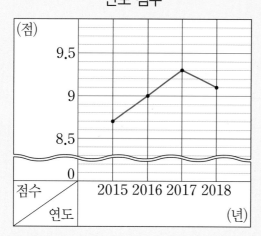

실시 점수

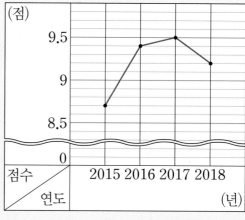

➡ 난도 점수의 변화를 살펴보면 전년과 비교하여 점수가 떨어진 때는 2018년입니다.

➡ 실시 점수의 변화를 살펴보면 전년과 비교하여 점수가 가장 많이 오른 때는 2016년입니다.

➡ 연도별로 얻은 난도 점수는 최저 8.7점과 최고 9.3점이고,

연도별로 얻은 실시 점수는 최저 8.7점과 최고 9.5점입니다.

➡ 난도 점수와 실시 점수를 더해서 얻은 점수가 가장 높은 연도는 2017년입니다.

개념 확인 문제

5-1 어느 동영상의 1년 동안의 조회 수를 조사하여 나타낸 꺾은선그래프입니다. 물음에 답하세요.

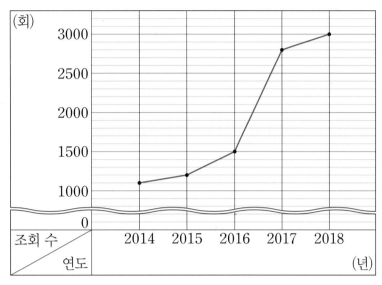

동영상 조회 수

(1) 1년 동안의 조회 수를 나타낸 꺾은선그래프를 보고 표를 완성해 보세요.

동영상 조회 수

연도(년)	2014	2015	2016	2017	2018
조회 수(회)					

(2) 조회 수가 가장 많은 연도와 가장 적은 연도의 차는 몇 회일까요?

(   )

(3) 전년과 비교하여 조회 수가 가장 많이 늘어난 때는 몇 년일까요?

(   )

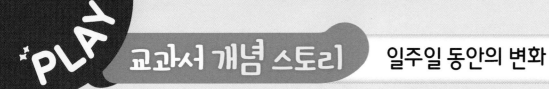
준비물 ◀ 붙임딱지

혜영이의 일주일 동안의 생활 모습을 꺾은선그래프로 나타내었습니다.
알맞은 꺾은선그래프를 찾아 붙이고, 추가로 더 알 수 있는 점을 찾아 써 보세요.

꺾은선그래프 붙임딱지를 붙여 보세요.

알 수 있는 점
- 전날과 비교하여 수가 가장 많이 변한 요일은 금요일입니다.
-
-

꺾은선그래프 붙임딱지를 붙여 보세요.

알 수 있는 점
- 화요일과 수요일의 수가 같습니다.
-
-

꺾은선그래프 붙임딱지를 붙여 보세요.

알 수 있는 점

· 월요일과 토요일 수가 같습니다.

·

·

꺾은선그래프 붙임딱지를 붙여 보세요.

알 수 있는 점

· 수요일과 비교하여 목요일 수가 줄었습니다.

·

·

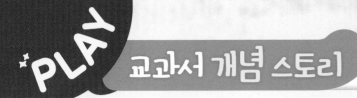

준비물 붙임딱지

치킨 가게의 치킨 판매량을 적은 문장을 완성하는 붙임딱지를 붙이고 표와 꺾은선그래프를 완성해 보세요.

치킨을 월요일에는 10마리, 화요(
목요일에는 7마리, 금요일에(

첫째 주 치킨 판매량

요일 (요일)	월	화	수	목	금
판매량 (마리)		8			

첫째 주 치킨 판매량

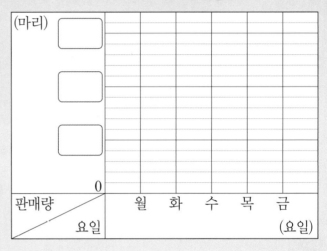

(마리)

판매량						

0

판매량 / 요일   월 화 수 목 금   (요일)

치킨을 월요일에는 24마리, 화요(
목요일에는 22마리, 금요일(

둘째 주 치킨 판매량

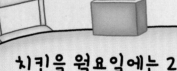

요일 (요일)	월	화	수	목	금
판매량 (마리)			20		

둘째 주 치킨 판매량

(마리)

0

판매량 / 요일   월 화 수 목 금   (요일)

치킨을 월요일에는 22마리, 화요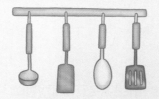
목요일에는 20마리, 금요일

셋째 주 치킨 판매량

요일 (요일)	월	화	수	목	금
판매량 (마리)					30

셋째 주 치킨 판매량

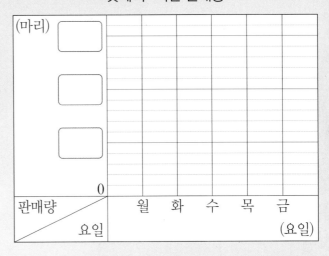

치킨을 월요일에는 9마리, 화요
목요일에는 10마리, 금요일

넷째 주 치킨 판매량

요일 (요일)	월	화	수	목	금
판매량 (마리)					7

넷째 주 치킨 판매량

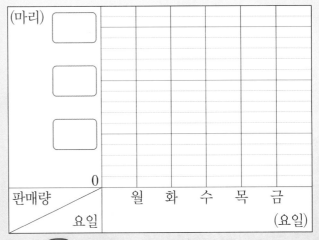

개념1 꺾은선그래프 알아보기

01 혜미네 학교의 연도별 학생 수를 조사하여 나타낸 꺾은선그래프입니다. 물음에 답하세요.

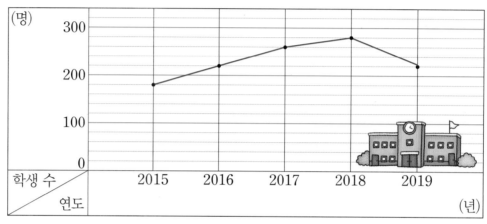

연도별 학생 수

(1) 꺾은선그래프의 가로와 세로는 각각 무엇을 나타낼까요?

가로 (   )

세로 (   )

(2) 그래프의 세로 눈금 한 칸은 몇 명을 나타낼까요?

(   )

(3) 꺾은선은 무엇을 나타낼까요?

(   )

개념 **2** **꺾은선그래프의 내용 알기**

02 정훈이네 학교 체육관의 온도를 조사하여 나타낸 꺾은선그래프입니다. 물음에 답하세요.

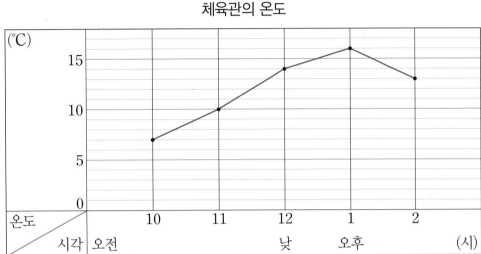

(1) 체육관의 온도가 가장 높은 때는 몇 시일까요?

(   )

(2) 체육관의 온도 변화가 가장 큰 때는 몇 시와 몇 시 사이일까요?

(   )

(3) 오후 2시는 오전 11시보다 온도가 몇 도 더 높아졌을까요?

(   )

개념3 물결선을 사용하여 나타낸 꺾은선그래프

03 어느 지역의 연도별 강수량을 조사하여 나타낸 꺾은선그래프입니다. 물음에 답하세요.

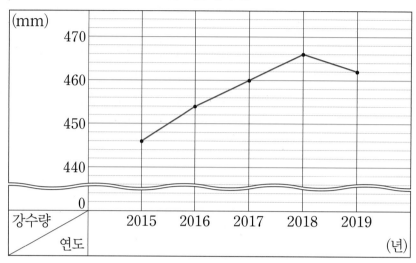

(1) 필요 없는 부분을 줄이기 위해서 사용한 것은 무엇일까요?

( )

(2) 세로 눈금 한 칸의 크기는 몇 mm일까요?

( )

(3) 2018년은 2016년보다 강수량이 몇 mm 더 늘었을까요?

( )

개념 4 꺾은선그래프 그리기

04 어느 토스트 가게의 토스트 판매량을 조사하여 나타낸 표입니다. 물음에 답하세요.

토스트 판매량

날짜(일)	7	8	9	10	11
판매량(개)	100	220	280	200	260

(1) 표를 보고 꺾은선그래프로 나타낼 때 꺾은선그래프의 가로와 세로에는 각각 무엇을 나타내어야 할까요?

가로 (   )

세로 (   )

(2) 눈금은 적어도 몇 개까지 나타낼 수 있어야 할까요?

(   )

(3) 꺾은선그래프로 나타내어 보세요.

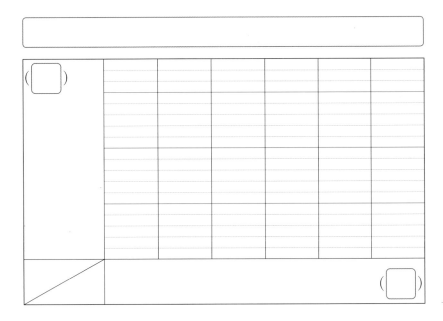

개념 5 ▸ 물결선을 사용한 꺾은선그래프 그리기

05 어느 가게의 월별 매출액을 조사하여 나타낸 표를 보고 물결선을 사용한 꺾은선그래프로 나타내려고 합니다. 물음에 답하세요.

월별 매출액

월(월)	10	11	12	1	2
매출액(만 원)	5200	6400	5000	7000	7600

(1) 물결선을 몇만 원과 몇만 원 사이에 넣는 것이 좋을까요?

( )

(2) 표를 보고 물결선을 사용한 꺾은선그래프로 나타내어 보세요.

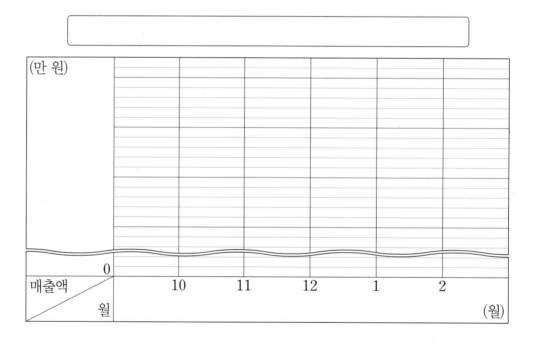

(3) 전월과 비교하여 매출액이 줄어든 때는 몇 월일까요?

( )

(4) 전월과 비교하여 매출액이 가장 많이 늘어난 때는 몇 월일까요?

( )

개념 6 꺾은선그래프의 활용

06 두 지역의 쓰레기 배출량을 조사하여 나타낸 꺾은선그래프입니다. 물음에 답하세요.

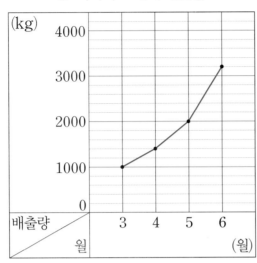

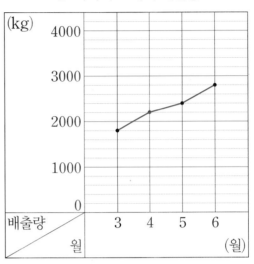

(1) 쓰레기 배출량의 변화가 더 큰 지역은 어느 지역일까요?

(   )

(2) ㉯ 지역의 쓰레기 배출량은 어떻게 변하고 있을까요?

(   )

(3) 5월의 ㉮ 지역의 쓰레기 배출량은 ㉯ 지역의 쓰레기 배출량보다 몇 kg 더 적을까요?

(   )

★ 꺾은선그래프를 보고 중간의 값 예상하기

1 어느 자동차 공장의 연도별 자동차 생산량을 조사하여 나타낸 꺾은선그래프입니다. 2014년의 자동차 생산량은 몇 대였을지 예상해 보세요.

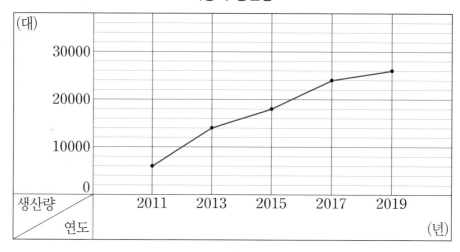

자동차 생산량

답 _____

개념 피드백 · 꺾은선그래프에서는 두 가로 눈금 사이에 있는 그래프의 세로 눈금을 읽어 중간값을 예상할 수 있습니다.

1-1 어느 마을의 인구수를 조사하여 나타낸 꺾은선그래프입니다. 2018년의 인구수는 몇 명이었을지 예상해 보세요.

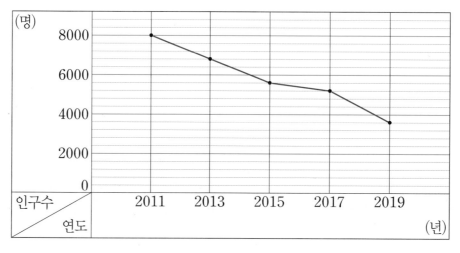

인구수

(   )

★ 꺾은선그래프에서 변화 정도 알아보기

2 어느 영화관의 관람객 수를 조사하여 나타낸 꺾은선그래프입니다. 전날과 비교하여 관람객 수의 변화가 가장 큰 요일을 구해 보세요.

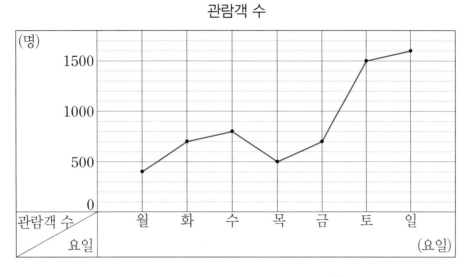

답 _____

개념 피드백 • 꺾은선그래프에서 선분의 기울어진 정도를 보면 변화가 큰지, 작은지 알 수 있습니다.

2-1 준영이의 턱걸이 횟수를 조사하여 나타낸 꺾은선그래프입니다. 전날과 비교하여 턱걸이 횟수의 변화가 가장 큰 요일을 구해 보세요.

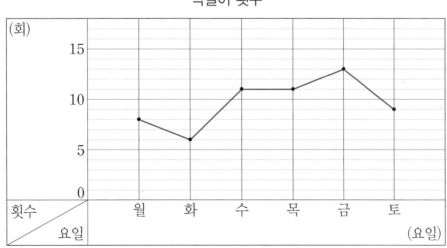

(   )

⭐ 세로 눈금의 크기 알아보기

3 어느 도시의 월별 출생아 수를 조사하여 나타낸 꺾은선그래프입니다. 세로 눈금 한 칸은 몇 명을 나타내는지 구해 보세요.

출생아 수

답 _____

> 개념
> 피드백
>
> • 세로 눈금 한 칸의 크기 알아보기
> ① 수가 쓰여 있는 두 눈금 사이의 자료값의 차를 구합니다.
> ② ①에서 구한 자료값의 차를 눈금 수로 나눕니다.

3-1 정호네 고양이의 무게를 재어 나타낸 꺾은선그래프입니다. 세로 눈금 한 칸은 몇 kg을 나타내는지 구해 보세요.

고양이의 무게

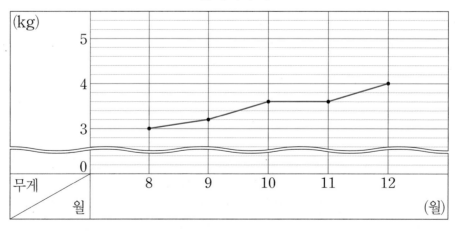

(   )

★ 표와 꺾은선그래프 완성하기

4 재우의 윗몸 말아 올리기 횟수를 조사하여 나타낸 표와 꺾은선그래프입니다. 표와 꺾은선그래프를 완성해 보세요.

윗몸 말아 올리기 횟수

요일(요일)	월	화	수	목	금
횟수(회)			20	22	16

윗몸 말아 올리기 횟수

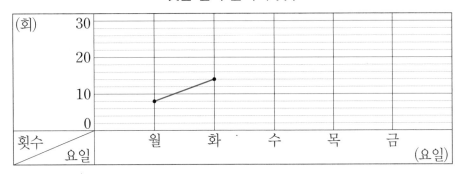

개념 피드백
• 가로 눈금과 세로 눈금이 만나는 자리에 점을 찍고, 점들을 선분으로 잇습니다.
• 꺾은선그래프의 눈금을 읽고 표를 완성합니다.

4-1 혜미의 월별 수학 점수를 기록하여 나타낸 표와 꺾은선그래프입니다. 표와 꺾은선그 래프를 완성해 보세요.

혜미의 수학 점수

월(월)	3	4	5	6	7
점수(점)	87	91			

혜미의 수학 점수

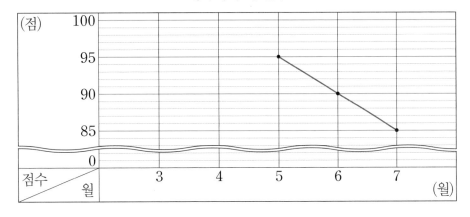

★ 알맞은 그래프로 나타내기

5 과일 가게에 있는 과일 수를 조사하여 나타낸 표를 보고 막대그래프와 꺾은선그래프 중 더 알맞은 그래프로 나타내어 보세요.

과일 수

종류	사과	복숭아	감	배	포도
과일 수(개)	120	220	80	160	200

개념 피드백
• 항목별 수를 비교할 때에는 막대그래프로 나타내는 것이 더 좋습니다.
• 시간에 따라 변하는 양을 나타낼 때에는 꺾은선그래프로 나타내는 것이 더 좋습니다.

5-1 어느 식물의 키를 조사하여 나타낸 표를 보고 막대그래프와 꺾은선그래프 중 더 알맞은 그래프로 나타내어 보세요.

식물의 키

날짜(일)	1	8	15	22	29
키(cm)	4	6	7	10	12

★ **두 꺾은선그래프 비교하기**

6 1학년부터 4학년까지 매년 5월에 진주와 윤아의 키를 재어 나타낸 꺾은선그래프입니다. 두 사람의 키 차이가 가장 큰 때는 몇 cm가 차이나는지 구해 보세요.

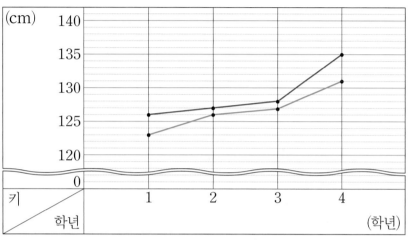

진주와 윤아의 키

(진주: —— , 윤아: ——)

답 _____

개념
피드백
• 두 사람의 키의 차이가 가장 큰 때는 두 꺾은선그래프가 가장 많이 벌어진 때입니다.

6-1 어느 전자제품 대리점의 휴대폰과 노트북 판매량을 조사하여 나타낸 꺾은선그래프입니다. 휴대폰과 노트북 판매량의 차가 가장 큰 때는 몇 대 차이가 나는지 구해 보세요.

휴대폰과 노트북 판매량

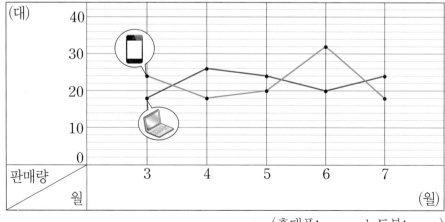

(휴대폰: —— , 노트북: ——)

(   )

서술형 연습 1 다음은 어느 지역의 월별 강수량을 조사하여 나타낸 꺾은선그래프입니다. 9월부터 11월까지의 강수량의 합은 몇 mm인지 구해 보세요.

월별 강수량

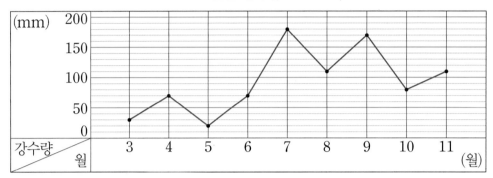

해결하기 9월의 강수량은 [ ] mm, 10월의 강수량은 [ ] mm, 11월의 강수량은

[ ] mm입니다. 따라서 강수량의 합은 [ ] mm입니다.

답 구하기 [ ] mm

서술형 실전 2 다음은 어느 지역의 월별 강수량을 조사하여 나타낸 꺾은선그래프입니다. 6월부터 8월까지의 강수량의 합은 몇 mm인지 구해 보세요.

월별 강수량

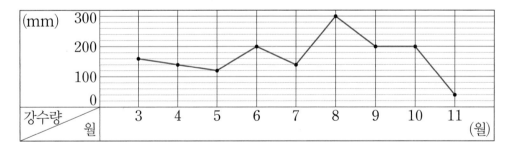

해결하기

답 구하기

3 지영이의 월별 읽은 책의 수를 조사하여 나타낸 꺾은선그래프입니다. 가장 많이 읽은 달과 가장 적게 읽은 달의 책의 수의 차를 구해 보세요.

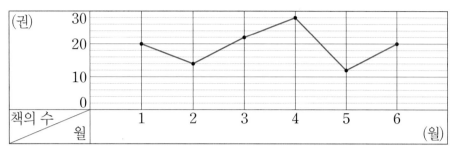

지영이가 읽은 책의 수

해결하기 세로 눈금 한 칸은 ▢ ÷5= ▢ (권)을 나타냅니다.

책을 가장 많이 읽은 달은 ▢ 월이고 가장 적게 읽은 달은 ▢ 월입니다.

읽은 책의 수의 차는 ▢ - ▢ = ▢ (권)입니다.

답 구하기 ▢ 권

4 어느 지역의 연도별 출생아 수를 조사하여 나타낸 꺾은선그래프입니다. 출생아가 가장 많은 해와 가장 적은 해의 출생아 수의 차는 몇 명인지 구해 보세요.

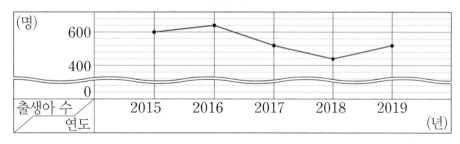

출생아 수

해결하기

답 구하기

준비물 ◀ 붙임딱지

요일별 최저 기온과 최고 기온을 나타낸 표와 꺾은선그래프를 보고 최저 기온과 최고 기온이
적힌 붙임딱지를 붙여 보세요. 그리고 표와 꺾은선그래프를 완성해 보세요.

12일 월	13일 화	14일 수	15일 목	16일 금	17일 토	18일 일
3 |14						

⬆ 최고 기온과 최저 기온 ⬇

요일(요일)	월	화	수	목	금	토	일
최고 기온(°C)				18	19	14	10
최저 기온(°C)							

최고 기온과 최저 기온

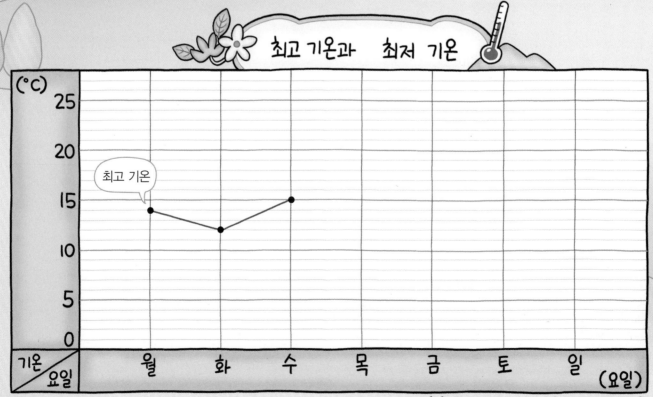

(최고 기온: —, 최저 기온: —)

다음 주의 날씨를 자유롭게 정해 최저 기온과 최고 기온이 적힌 붙임딱지를 붙여 보세요.
그리고 아래 표와 꺾은선그래프로 나타내어 보세요.

19일 월	20일 화	21일 수	22일 목	23일 금	24일 토	25일 일
☀						
8 / 22						

↑   최고 기온과   최저 기온   ↓

요일(요일)	월	화	수	목	금	토	일
최고 기온(℃)							
최저 기온(℃)							

최고 기온과   최저 기온

(℃)
25
20
15
10
5
0

기온/요일   월   화   수   목   금   토   일   (요일)

(최고 기온:—, 최저 기온:—)

5. 꺾은선그래프 · 33

준비물 붙임딱지

승주의 월별 행복 점수를 꺾은선그래프로 나타내려고 합니다. 점수가 높으면 행복한 일이 가득하고, 점수가 낮으면 슬픈 일이 많은 때입니다. 표를 보고 아래에 알맞은 생활 붙임딱지를 붙여 보세요. 그리고 오른쪽에 꺾은선그래프로 나타내고 알 수 있는 점을 발표해 보세요.

월별 행복 점수

월 (월)	3	4	5	6	7	8	9
점수 (점)	10	5	13	10	7	12	3

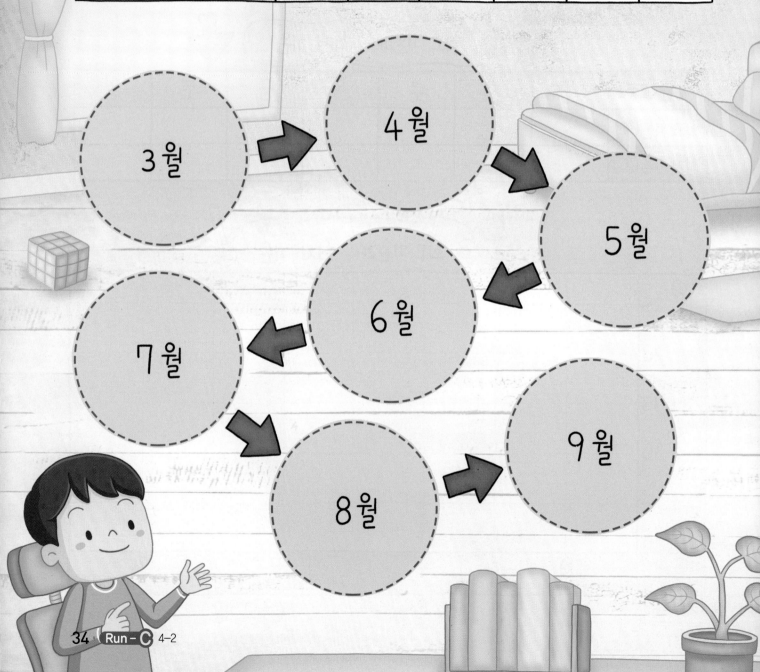

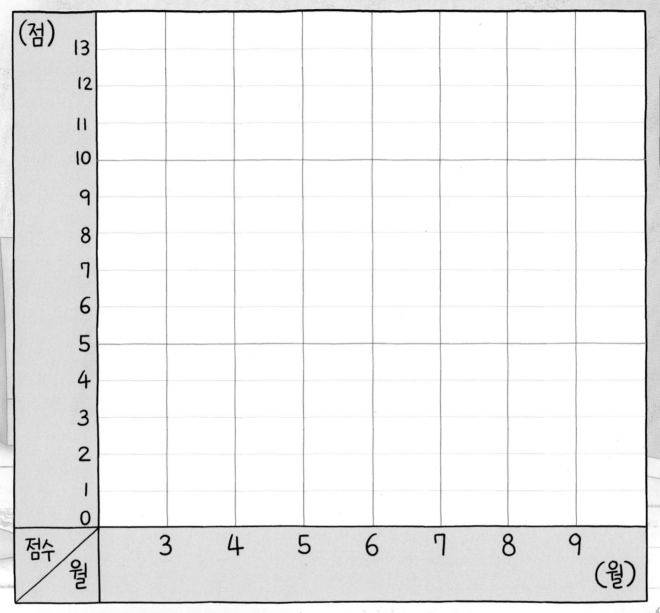

월별 행복 점수

점수 / 월	3	4	5	6	7	8	9 (월)

알 수 있는 점

2
주

사고력

1 정우네 강아지의 무게를 매년 1월에 조사하여 나타낸 꺾은선그래프입니다. 강아지의 무게는 조사 기간 동안 몇 kg 늘었는지 구해 보세요.

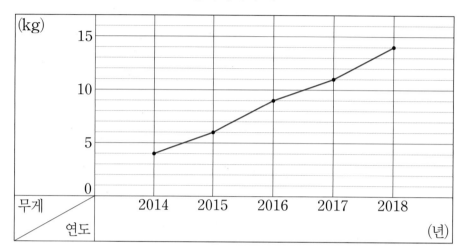

1 2014년의 강아지의 무게는 몇 kg일까요?

(   )

2 2018년의 강아지의 무게는 몇 kg일까요?

(   )

3 조사 기간 동안 강아지의 무게는 몇 kg 늘었을까요?

(   )

2 어느 쇼핑몰 사이트의 방문자 수를 조사하여 나타낸 꺾은선그래프입니다. 5월의 방문자 수가 4월의 방문자 수보다 800명 더 많다고 할 때 꺾은선그래프를 완성해 보세요.

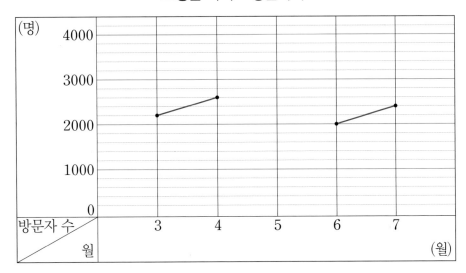

쇼핑몰 사이트 방문자 수

❶ 세로 눈금 한 칸은 몇 명을 나타낼까요?

(   )

❷ 5월의 방문자 수는 몇 명일까요?

(   )

❸ 꺾은선그래프를 완성해 보세요.

3 어느 과수원에서 생산한 멜론 수를 월별로 조사하여 나타낸 표와 꺾은선그래프입니다.
표와 꺾은선그래프를 완성해 보세요.

생산한 멜론 수

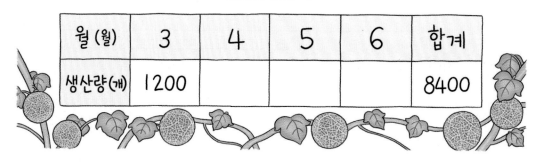

월 (월)	3	4	5	6	합계
생산량(개)	1200				8400

생산량 멜론 수

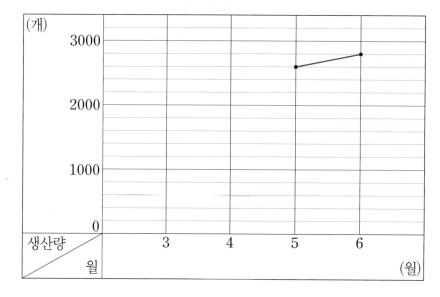

① 5월과 6월의 멜론 생산량은 각각 몇 개일까요?

5월 (   ), 6월 (   )

② 4월의 멜론 생산량은 몇 개일까요?

(   )

③ 표와 꺾은선그래프를 완성해 보세요.

4 어느 소극장의 월별 관람객 수를 조사하여 나타낸 표를 보고 꺾은선그래프로 나타내려고 합니다. 물음에 답하세요.

관람객 수

월(월)	1	2	3	4	5
관람객 수(명)	140	200	180	150	90

관람객 수

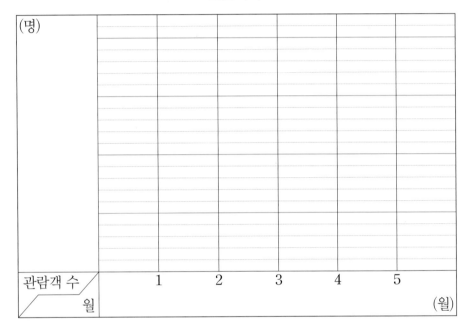

① 세로 눈금은 적어도 몇 명까지 나타낼 수 있어야 할까요?

(   )

② 세로 눈금 한 칸은 몇 명을 나타내어야 할까요?

(   )

③ 꺾은선그래프를 완성해 보세요.

1 수근이와 재호의 키를 매년 2월에 조사하여 나타낸 꺾은선그래프입니다. 1학년 때부터 4학년 때까지 누구의 키가 몇 cm 더 많이 자랐는지 구해 보세요.

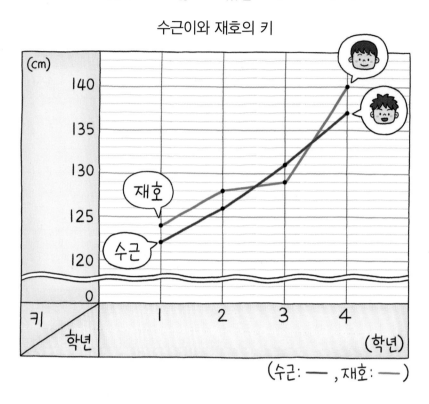

수근이와 재호의 키

(수근: —— , 재호: ——)

❶ 수근이는 1학년 때부터 4학년 때까지 몇 cm 자랐을까요?

(   )

❷ 재호는 1학년 때부터 4학년 때까지 몇 cm 자랐을까요?

(   )

❸ 누구의 키가 몇 cm 더 많이 자랐는지 차례로 써 보세요.

(   ), (   )

2 어느 가게의 아이스크림 판매량을 조사하여 나타낸 꺾은선그래프입니다. 아이스크림 한 개의 가격이 700원일 때 3월부터 6월까지 아이스크림을 판매한 가격은 모두 얼마인지 구해 보세요.

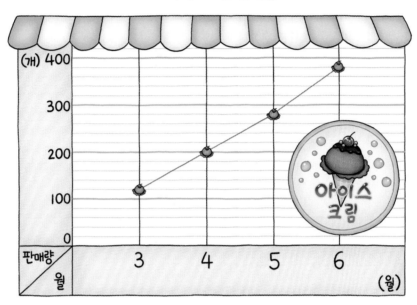

아이스크림 판매량

❶ 세로 눈금 한 칸은 몇 개를 나타낼까요?

( )

❷ 3월부터 6월까지 판매한 아이스크림은 모두 몇 개일까요?

( )

❸ 3월부터 6월까지 아이스크림을 판매한 가격은 모두 얼마일까요?

( )

3 고장난 수도꼭지에서 샌 물의 양을 조사하여 꺾은선그래프로 나타냈습니다. 물은 한 시간 동안 최대 몇 L 샜는지 구해 보세요.

샌 물의 양

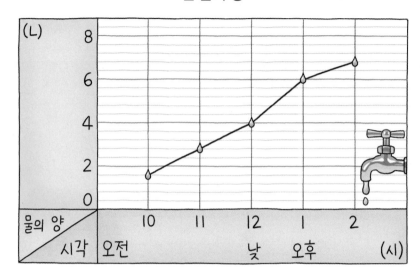

① 세로 눈금 5칸은 몇 L를 나타낼까요?

( )

② 선이 가장 많이 기울어진 때는 몇 시와 몇 시 사이일까요?

( )

③ 한 시간 동안 샌 물의 양은 최대 몇 L일까요?

( )

4 물의 온도를 수온, 공기의 온도를 기온이라고 합니다. 바다의 수온과 기온을 오후 1시부터 오후 5시까지 1시간마다 조사하여 나타낸 꺾은선그래프입니다. 학생들의 대화를 읽고 꺾은선그래프를 완성해 보세요.

바다의 수온과 기온

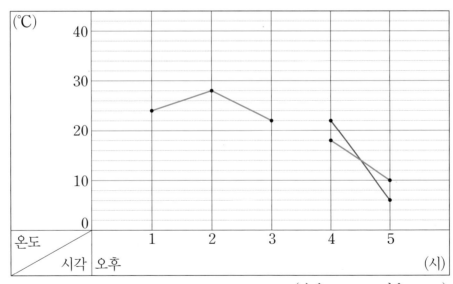

(수온: ── , 기온: ──)

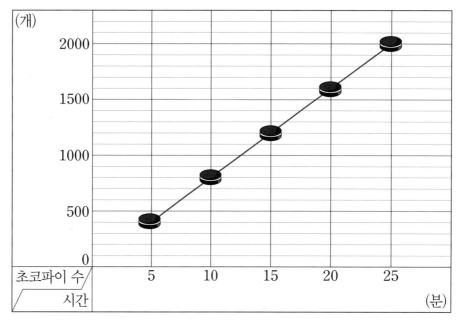

평가 영역 ☐개념 이해력 ☑개념 응용력 ☐창의력 ☐문제 해결력

1 어느 공장에서 만든 초코파이 수를 조사하여 나타낸 꺾은선그래프입니다. 같은 빠르기로 초코파이를 만든다면 1시간 동안 초코파이를 몇 개 만들 수 있는지 구해 보세요.

만든 초코파이 수

❶ 세로 눈금 한 칸은 몇 개를 나타낼까요?

(   )

❷ 5분 동안 초코파이를 몇 개 만들 수 있을까요?

💡 같은 시간 동안 만드는 초코파이의 수는 일정해요.

(   )

❸ 같은 빠르기로 초코파이를 만든다면 1시간 동안 초코파이를 몇 개 만들 수 있을까요?

(   )

평가 영역 □개념 이해력 □개념 응용력 □창의력 ☑문제 해결력

2 20 kg 쌀 한 포대의 가격을 조사하여 나타낸 꺾은선그래프입니다. 세로 눈금 한 칸의 크기를 500원으로 하여 다시 그린다면 2018년과 2019년의 세로 눈금은 몇 칸 차이가 나는지 구해 보세요.

20 kg 쌀 한 포대의 가격

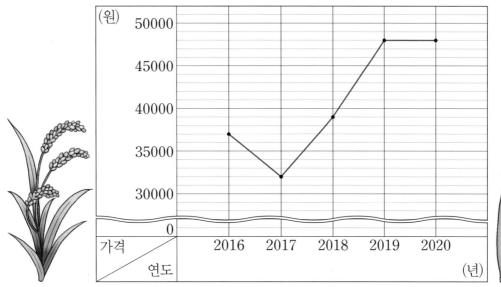

❶ 2018년과 2019년의 20 kg 쌀 한 포대의 가격을 각각 구해 보세요.

2018년 (   ), 2019년 (   )

❷ 2018년과 2019년의 20 kg 쌀 한 포대의 가격의 차를 구해 보세요.

(   )

❸ 세로 눈금 한 칸의 크기를 500원으로 하여 다시 그린다면 2018년과 2019년의 세로 눈금은 몇 칸 차이가 나는지 구해 보세요.

(   )

[1~4] 동혁이의 윗몸 말아 올리기 횟수를 요일별로 조사하여 나타낸 그래프입니다. 물음에 답하세요.

윗몸 말아 올리기 횟수

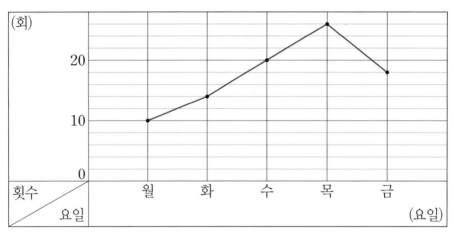

1 위와 같은 그래프를 무슨 그래프라고 할까요?

（　　　　　　　　　　　）

2 그래프의 가로와 세로는 각각 무엇을 나타낼까요?

가로 （　　　　　　　　　）, 세로 （　　　　　　　　）

3 세로 눈금 한 칸은 몇 회를 나타낼까요?

（　　　　　　　　　　　）

4 그래프를 보고 표로 나타내어 보세요.

윗몸 말아 올리기 횟수

요일(요일)	월	화	수	목	금
횟수(회)					

[5~8] 채민이네 학교 운동장의 온도를 조사하여 나타낸 꺾은선그래프입니다. 물음에
답하세요.

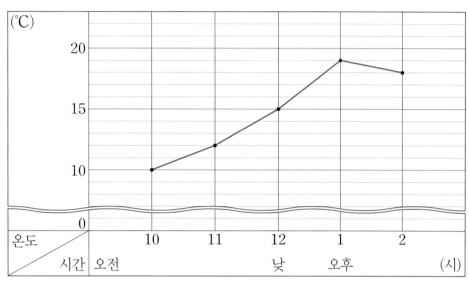

운동장의 온도

5 온도가 가장 높은 때는 몇 시일까요?

(   )

6 온도 변화가 가장 큰 때는 몇 시와 몇 시 사이일까요?

(   )와 (   ) 사이

7 오전 10시 30분의 온도는 몇 ℃였을지 예상해 보세요.

8 오후 3시의 온도는 어떻게 될 것인지 예상해 보세요.

[9~11] 어느 가게의 새우맛 과자 판매량을 월별로 조사하여 나타낸 표입니다. 물음에 답하세요.

새우맛 과자 판매량

월(월)	4	5	6	7	8
판매량(개)	80	120	200	260	180

9 꺾은선그래프로 나타낼 때 가로의 세로에는 각각 무엇을 나타낼까요?

가로 (   ), 세로 (   )

10 꺾은선그래프로 나타내어 보세요.

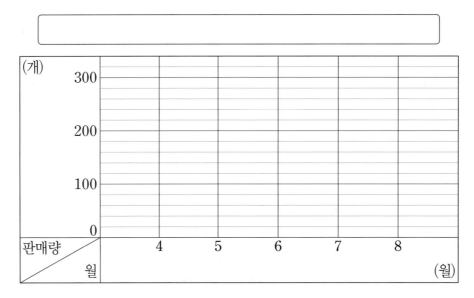

11 표와 꺾은선그래프 중 새우맛 과자 판매량의 변화를 한눈에 알아보기 쉬운 것은 어느 것일까요?

(   )

[12~14] 어느 병원의 월별 감기 환자 수를 조사하여 나타낸 표와 꺾은선그래프입니다. 물음에 답하세요.

감기 환자 수

월(월)	8	9	10	11	12
환자 수(명)	16		32		56

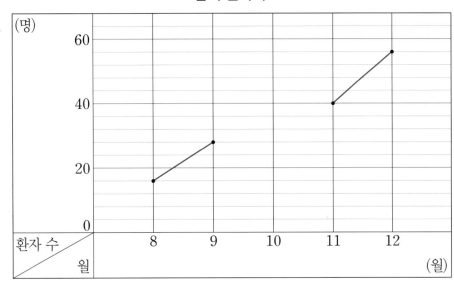

감기 환자 수

12 세로 눈금 한 칸은 몇 명을 나타낼까요?

(   )

13 표와 꺾은선그래프를 완성해 보세요.

14 감기 환자 수가 가장 많은 때는 가장 적은 때보다 몇 명 더 많을까요?

(   )

[15~18] 어느 학교의 4학년 남학생 수와 여학생 수를 조사하여 나타낸 꺾은선그래프입니다. 물음에 답하세요.

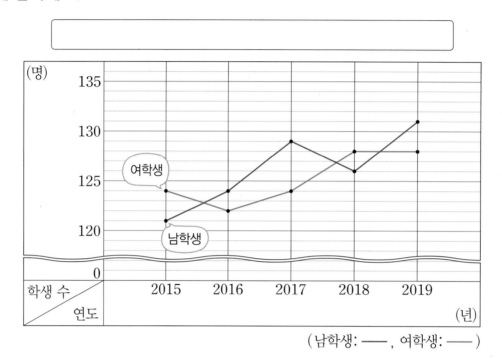

(남학생: —— , 여학생: ——)

15 위 그래프의 빈 곳에 알맞은 제목을 써 보세요.

16 2016년에는 남학생이 여학생보다 몇 명 더 많을까요?

( )

17 남학생과 여학생 수의 차가 가장 큰 해의 학생 수의 차는 몇 명일까요?

( )

18 2019년에 이 학교의 4학년 학생은 모두 몇 명일까요?

( )

특강 **창의·융합 사고력**

1 서울의 인구수와 가구 수를 조사하여 꺾은선그래프로 나타냈습니다. 가구는 한 명 또는 2명 이상이 모여서 취사, 생계를 같이 하는 단위를 말합니다. 두 꺾은선그래프를 보고 물음에 답하세요.

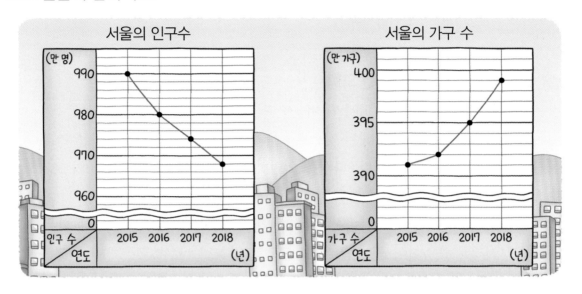

(1) 알맞은 말에 ○표 하세요.

> 2015년부터 2018년까지 서울의 인구수는
> (줄어들고 , 늘어나고), 가구 수는
> (줄어들고 , 늘어나고) 있습니다.

1인 가구는 혼자 사는 가구,
2인 가구는 둘이 사는
가구를 말해요.

(2) 그래프를 보고 승희가 예상하여 말한 내용입니다. 알맞은 말에 ○표 하세요.

승희

> 서울의 1인 가구 수와 2인 가구 수는
> (줄어들고 , 늘어나고) 있는 것으로 예상할 수 있어요.

(3) 서울의 인구수와 가구 수는 어떻게 될지 예상한 내용을 2가지 써 보세요.

① _____

② _____

6 다각형

정사각형을 이어 붙여서 만든 평면도형에 대하여 알아보아요.

펜토미노 퍼즐

펜토미노는 정사각형 5개를 이어 붙여서 만들 수 있는 12가지의 도형을 이용한 퍼즐의 한 종류입니다. 펜토미노 퍼즐에 대하여 알아봅시다.

☆ 정사각형 5개를 이어 붙인 도형

많은 사람들이 즐겨 하는 테트리스와 비슷한 펜토미노라는 퍼즐이 있습니다.

펜토미노는 고대 로마에서 유래된 것으로 5개의 정사각형을 변끼리 이어 붙인 도형을 사용하여 퍼즐을 완성하는 놀이입니다. 다섯을 의미하는 그리스어 펜토(pento)와 조각으로 해석할 수 있는 그리스어 미노(mino)를 합쳐서 만들어진 단어입니다.

정사각형 5개를 변끼리 이어 붙여서 만들 수 있는 모양은 모두 12가지인데 다음과 같이 알파벳을 연상시키는 모양이어서 각 펜토미노 조각을 알파벳으로 부르는 경우가 많습니다.

펜토미노 조각

펜토미노 퍼즐은 영국의 퍼즐 연구가 헨리 듀드니가 1907년에 다양한 퍼즐의 해법을 담은 책 '캔터베리 퍼즐'에서 소개하면서 세상에 처음 알려졌고, 1953년에 미국의 솔로몬 골롬 박사가 하버드대학교의 수학클럽에서 강의를 하던 도중 최초로 '펜토미노'라는 용어를 사용하면서부터 지금까지 펜토미노로 불리게 되었습니다.

그 이후에도 펜토미노 퍼즐은 여러 사람들에게 사랑받으며 여러 유형의 풀이법들이 계속해서 개발되고 있습니다.

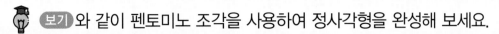 와 같이 펜토미노 조각을 사용하여 정사각형을 완성해 보세요.

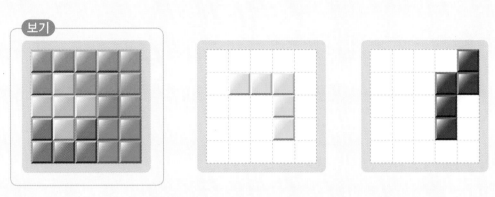

펜토미노 조각을 사용하여 닭 모양 퍼즐을 완성해 보세요.

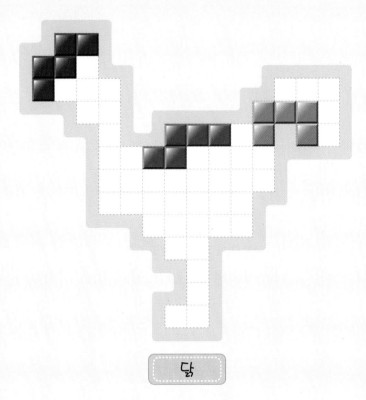

닭

개념 **1** 다각형 알아보기

• 다각형: **선분**으로만 둘러싸인 도형

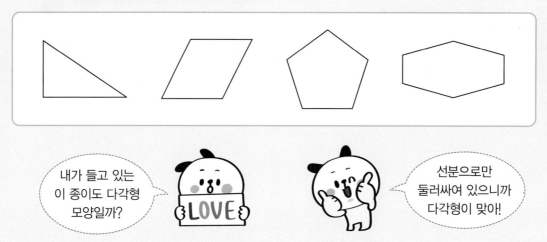

내가 들고 있는 이 종이도 다각형 모양일까?

선분으로만 둘러싸여 있으니까 다각형이 맞아!

다각형이 아닌 도형 알아보기

① 곡선이 포함되어 있는 도형

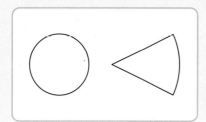

② 선분으로 완전히 둘러싸여 있지 않은 도형

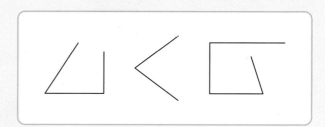

• 다각형의 이름 알아보기

다각형은 모양과 관계없이 **변의 수**에 따라 이름이 정해집니다.

변이 ■개인 다각형을 ■각형이라고 부릅니다.

다각형					
변의 수	4개	5개	6개	7개	8개
이름	사각형	오각형	육각형	칠각형	팔각형

참고 한 다각형에서 변의 수, 각의 수, 꼭짓점의 수는 모두 같습니다.

개념 확인 문제

1-1 ☐ 안에 알맞은 말을 써넣으세요.

 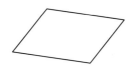 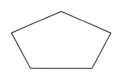

위와 같이 선분으로만 둘러싸인 도형을 [   ]이라고 합니다.

1-2 관련 있는 것끼리 이어 보세요.

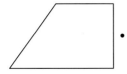   · 육각형

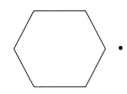   · 오각형

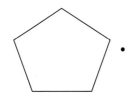   · 사각형

1-3 점 종이에 그려진 선분을 이용하여 칠각형을 완성해 보세요.

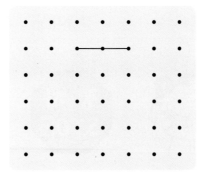

3
주

교과서

개념 2 정다각형 알아보기

- 정다각형: **변의 길이**가 모두 같고, **각의 크기**가 모두 같은 다각형

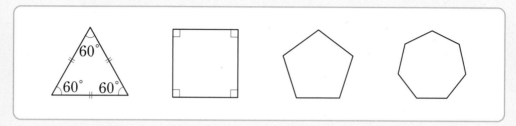

- 정다각형이 아닌 도형 알아보기

① 마름모

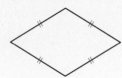

마름모는 변의 길이가 모두 같지만 **각의 크기**가 항상 같은 것은 아니므로 정다각형이라고 할 수 없습니다.

② 직사각형

직사각형은 각의 크기가 직각으로 모두 같지만 **변의 길이**가 항상 같은 것은 아니므로 정다각형이라고 할 수 없습니다.

- 정다각형의 이름 알아보기

변이 ■개인 정다각형을 정■각형이라고 부릅니다.

정다각형				
변의 수	3개	4개	5개	6개
이름	정삼각형	정사각형	정오각형	정육각형

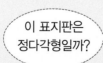

이 표지판은 정다각형일까?

8개의 변의 길이가 모두 같고, 각의 크기가 모두 같으니까 정팔각형이야!

개념 확인 문제

2-1 정다각형을 모두 찾아 ◯표 하세요.

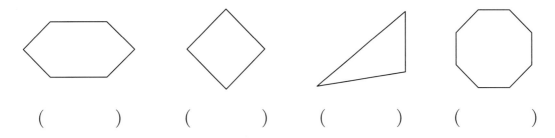

(   )   (   )   (   )   (   )

2-2 정다각형인 것을 찾아 기호를 써 보세요.

(   )

2-3 정다각형의 이름을 써 보세요.

(1)

(2)

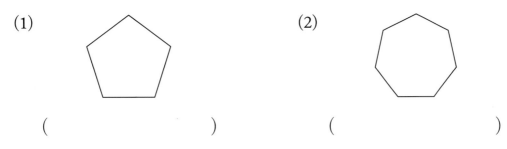

(   )   (   )

2-4 모눈종이에 크기가 서로 다른 정육각형을 2개 그려 보세요.

개념 **3** 대각선 알아보기

• 대각선: 다각형에서 서로 이웃하지 않는 두 꼭짓점을 이은 선분

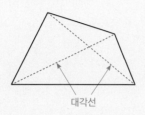

대각선

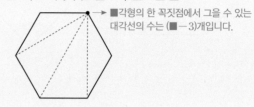

→ ■각형의 한 꼭짓점에서 그을 수 있는 대각선의 수는 (■－3)개입니다.

• 다각형의 대각선의 수 알아보기

① 삼각형

삼각형은 세 꼭짓점이 서로 이웃하고 있으므로 대각선을 그을 수 없습니다.

② 사각형

사각형은 한 꼭짓점에서 그을 수 있는 대각선의 수는 1개이고, 그을 수 있는 대각선의 수는 모두 2개입니다.

③ 오각형

오각형은 한 꼭짓점에서 그을 수 있는 대각선의 수는 2개이고, 그을 수 있는 대각선의 수는 모두 5개입니다.

참고 꼭짓점의 수가 많은 다각형일수록 더 많은 대각선을 그을 수 있습니다.

✦여러 가지 사각형의 대각선의 성질 알아보기

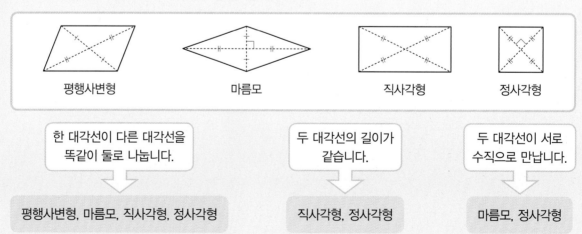

개념 확인 문제

3-1 다각형에 그을 수 있는 대각선을 모두 그어 보세요.

(1)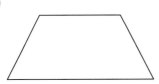

(2)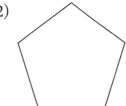

3-2 칠각형의 한 꼭짓점에서 그을 수 있는 대각선은 몇 개인지 구해 보세요.

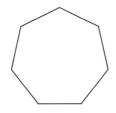

( )

3-3 크기를 비교하여 ◯ 안에 >, =, <를 알맞게 써넣으세요.

팔각형에 그을 수 있는 대각선의 수　　십각형에 그을 수 있는 대각선의 수

3-4 사각형을 보고 물음에 답하세요.

(1) 두 대각선의 길이가 같은 사각형을 모두 찾아 기호를 써 보세요.

( )

(2) 두 대각선이 서로 수직으로 만나는 사각형을 모두 찾아 기호를 써 보세요.

( )

개념 **4** 모양 만들기

• 모양 조각의 종류 알아보기

정삼각형	사다리꼴	마름모	정사각형	정육각형

참고 • 6개의 모양 조각에서 사다리꼴의 가장 긴 변을 제외한 모든 변의 길이는 같습니다.
• 사다리꼴의 가장 긴 변은 다른 변의 길이의 2배입니다.

• 모양 조각을 이용하여 여러 가지 모양 만들기

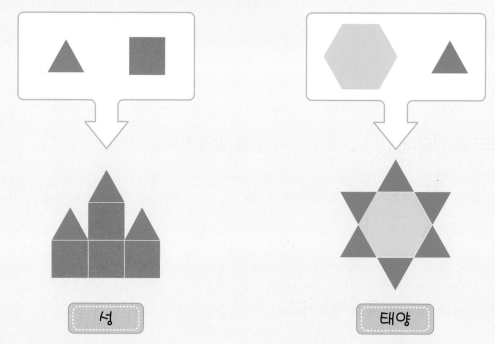

성   태양

① 모양을 만들 때 같은 모양 조각을 여러 번 사용할 수 있습니다.
② 모양 조각의 변의 길이가 서로 같으므로 변끼리 붙여서 여러 가지 모양을
만들 수 있습니다.

개념 **5** 모양 채우기

모양 조각이 서로 겹치거나 빈틈이 없도록 이어 붙여 모양을 채웁니다.

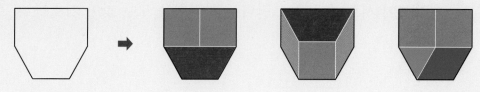

개념 확인 문제

4-1 다음 모양을 만들려면  모양 조각은 몇 개가 필요할까요?

(   )

3
주

교과서

4-2 2가지 모양 조각을 사용하여 다각형을 만들어 보세요.

(1) [오각형]

(2) [육각형]

5-1 왼쪽 모양을 채우고 있는 다각형의 이름에 모두 ○표 하세요.

정삼각형   정사각형   정육각형   마름모

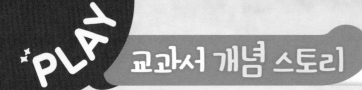
준비물 붙임딱지

다양한 수건을 팔고 있는 가게입니다.
수건걸이에 적힌 도형이 그려진 수건을 수건걸이에 알맞게 걸어 보세요.

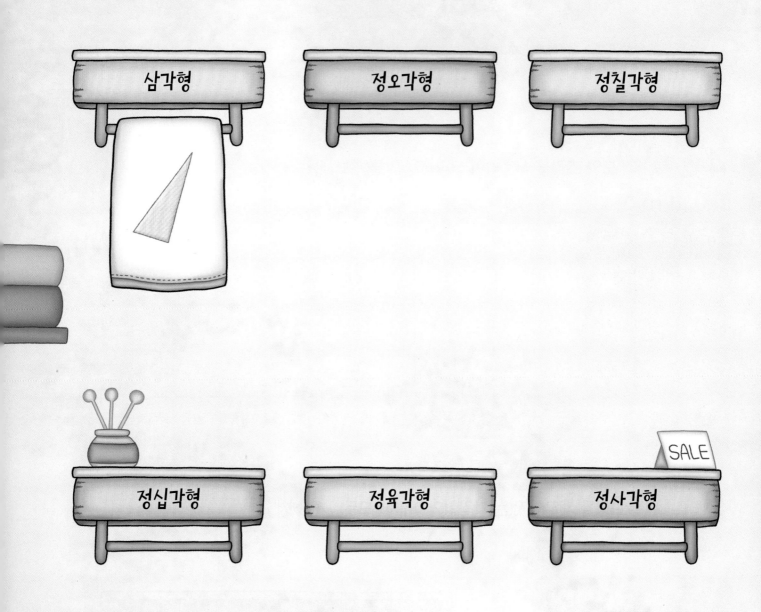

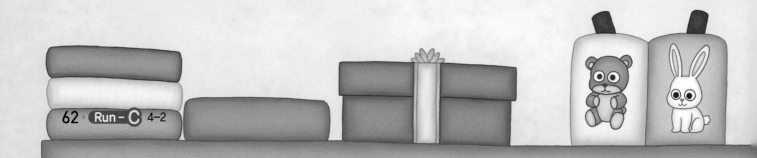

정팔각형　　　정삼각형　　　정십일각형

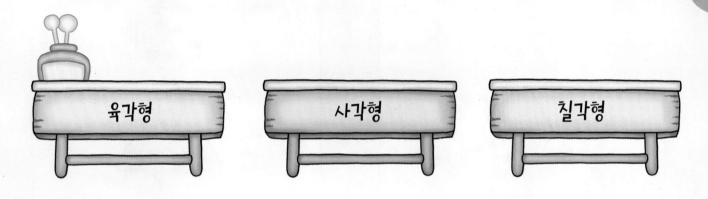

육각형　　　사각형　　　칠각형

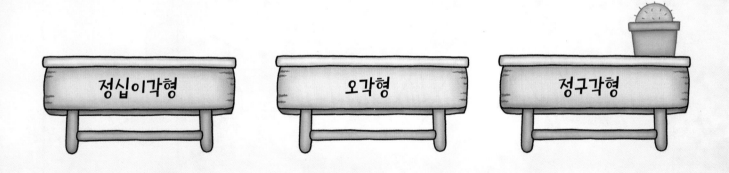

정십이각형　　　오각형　　　정구각형

준비물 붙임딱지

모양 조각을 사용하여 채운 작품으로 교실 뒤편에 있는 학급 게시판을 꾸미려고 합니다.
주어진 모양 조각 붙임딱지만 여러 번 붙여서 작품을 채워 보세요.

개념 1 다각형 알아보기

01 □ 안에 알맞은 말을 써넣으세요.

> 삼각형, 사각형, 오각형처럼 □ (으)로만 둘러싸인 도형을 다각형이라고
> 합니다.

02 안전 표지판에서 볼 수 있는 다각형의 이름을 써 보세요.

(1)

(2)

(   )　　　　　(   )

03 점 종이에 육각형과 칠각형을 각각 1개씩 그려 보세요.

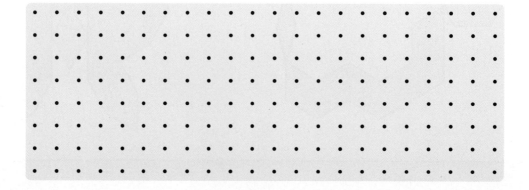

개념 2 정다각형 알아보기

04 정다각형을 모두 찾아 기호를 써 보세요.

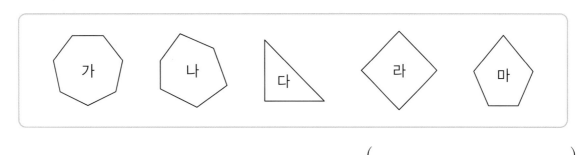

(   )

05 정다각형입니다. ☐ 안에 알맞은 수를 써넣으세요.

(1)

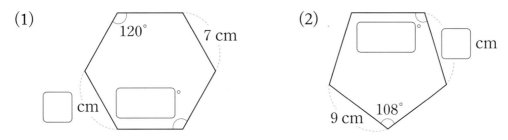

(2)

06 모눈종이에 크기가 서로 다른 정사각형을 3개 그려 보세요.

개념3 대각선 알아보기

07 사각형에 그을 수 있는 대각선을 바르게 나타낸 것에 ○표 하세요.

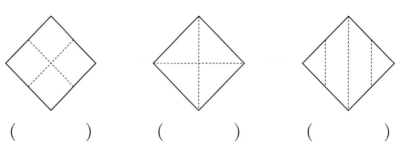

(   )   (   )   (   )

08 도형에 그을 수 있는 대각선은 모두 몇 개일까요?

(1)   (2)

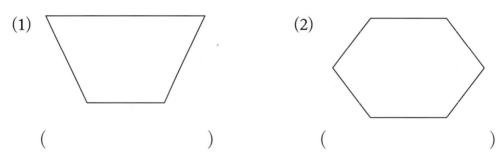

(   )   (   )

09 대각선의 수가 많은 것부터 차례로 기호를 써 보세요.

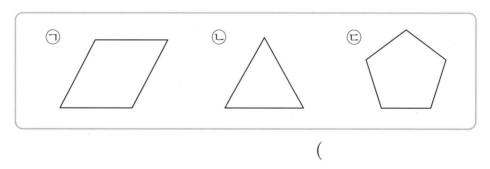

(   )

개념 4 **여러 가지 사각형의 대각선의 성질 알아보기**

10 대각선의 길이가 같은 사각형을 모두 찾아 기호를 써 보세요.

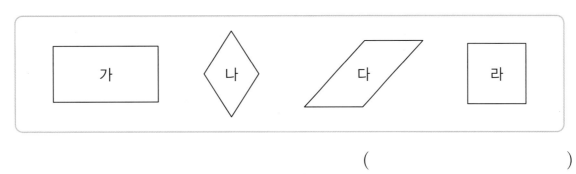

(   )

11 대각선이 서로 수직으로 만나는 사각형을 모두 찾아 기호를 써 보세요.

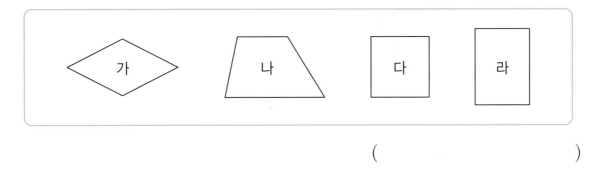

(   )

12 한 대각선이 다른 대각선을 똑같이 둘로 나누는 사각형을 모두 찾아 기호를 써 보세요.

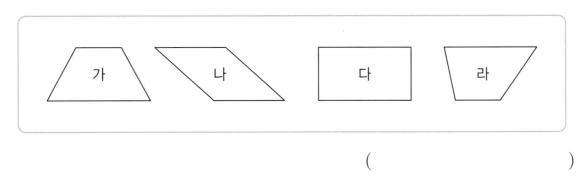

(   )

개념5 모양 만들기

13 다음 모양을 만들려면  모양 조각은 몇 개 필요할까요?

(   )

14 다음 모양을 만드는 데 사용한 다각형의 이름을 모두 찾아 ◯표 하세요.

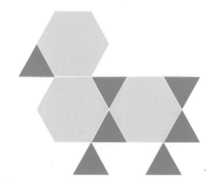

(삼각형   ,   사각형   ,   육각형   )

15 다음 모양을 만드는 데 사용한 다각형을 모두 찾아 이름을 써 보세요.

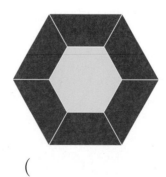

(,   )

개념6 **모양 채우기**

16 다음 모양을 채우려면 ▲ 모양 조각은 몇 개 필요할까요?

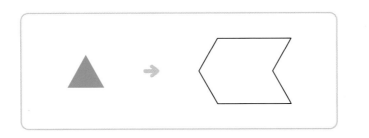

(   )

3
주

교과서

17 모양 조각을 보고 물음에 답하세요.

(1) 모양 조각을 사용하여 서로 다른 방법으로 정삼각형을 채워 보세요.

(2) 모양 조각을 사용하여 다음 모양을 채워 보세요.

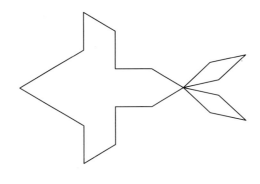

⭐ **정다각형의 한 변의 길이 구하기**

1 모든 변의 길이의 합이 54 cm인 정육각형이 있습니다. 이 도형의 한 변의 길이는 몇 cm인지 구해 보세요.

답 _____

(정■각형의 한 변의 길이)=(정■각형의 모든 변의 길이의 합)÷(변의 수)
= (정■각형의 모든 변의 길이의 합)÷■

1-1 모든 변의 길이의 합이 108 cm인 정구각형이 있습니다. 이 도형의 한 변의 길이는 몇 cm인지 구해 보세요.

(   )

1-2 모든 변의 길이의 합이 288 cm인 정십이각형이 있습니다. 이 도형의 한 변의 길이는 몇 cm인지 구해 보세요.

(   )

★ 정다각형의 한 각의 크기 구하기

2 다음 정다각형의 모든 각의 크기의 합은 540°입니다. 이 정다각형의 한 각의 크기를 구해 보세요.

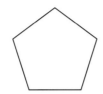

답 _____

> **개념 피드백** (정■각형의 한 각의 크기)=(정■각형의 모든 각의 크기의 합)÷(각의 수)
> =(정■각형의 모든 각의 크기의 합)÷■

2-1 다음 정다각형의 모든 각의 크기의 합은 720°입니다. 이 정다각형의 한 각의 크기를 구해 보세요.

(   )

2-2 다음 정다각형의 모든 각의 크기의 합은 1080°입니다. 이 정다각형의 한 각의 크기를 구해 보세요.

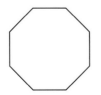

(   )

★ 정다각형의 이름 알아보기

3 한 변의 길이가 4 cm이고 모든 변의 길이의 합이 36 cm인 정다각형이 있습니다. 이 정다각형의 이름은 무엇인지 써 보세요.

답 _____

개념
피드백
정다각형의 변의 길이는 모두 같습니다.
➡ (정다각형의 변의 수)=(정다각형의 모든 변의 길이의 합)÷(한 변의 길이)

3-1 한 변의 길이가 6 cm이고 모든 변의 길이의 합이 48 cm인 정다각형이 있습니다. 이 정다각형의 이름은 무엇인지 써 보세요.

(   )

3-2 한 변의 길이가 9 cm이고 모든 변의 길이의 합이 63 cm인 정다각형이 있습니다. 이 정다각형의 이름은 무엇인지 써 보세요.

(   )

3-3 한 변의 길이가 11 cm이고 모든 변의 길이의 합이 132 cm인 정다각형이 있습니다. 이 정다각형의 이름은 무엇인지 써 보세요.

(   )

★ 한 대각선의 길이 구하기

4 사각형 ㄱㄴㄷㄹ은 직사각형입니다. 선분 ㄱㄷ의 길이는 몇 cm인지 구해 보세요.

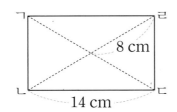

답 _____

**3
주**

교과서

개념 피드백

• 여러 가지 사각형의 대각선의 성질

	두 대각선의 길이가 같습니다.	한 대각선이 다른 대각선을 똑같이 둘로 나눕니다.	두 대각선이 서로 수직으로 만납니다.
평행사변형		○	
직사각형	○	○	
마름모		○	○
정사각형	○	○	○

4-1 사각형 ㄱㄴㄷㄹ은 마름모입니다. 선분 ㄴㄹ의 길이는 몇 cm인지 구해 보세요.

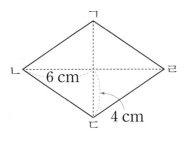

(   )

4-2 사각형 ㄱㄴㄷㄹ은 정사각형입니다. 선분 ㄱㄷ의 길이는 몇 cm인지 구해 보세요.

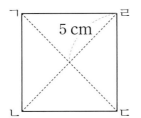

(   )

★ 대각선을 그어 생기는 각의 크기 구하기

5 사각형 ㄱㄴㄷㄹ은 직사각형입니다. 각 ㅁㄷㄹ의 크기는 몇 도인지 구해 보세요.

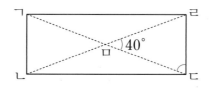

답 _____

① 직사각형은 두 대각선의 길이가 같고, 한 대각선이 다른 대각선을 똑같이 둘로 나눕니다.
② 직사각형에 대각선을 그었을 때 생기는 4개의 삼각형은 모두 이등변삼각형입니다.

5-1 사각형 ㄱㄴㄷㄹ은 직사각형입니다. 각 ㅁㄱㄴ의 크기는 몇 도인지 구해 보세요.

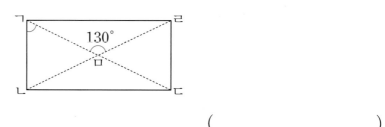

(   )

5-2 사각형 ㄱㄴㄷㄹ은 정사각형입니다. 각 ㄱㄴㅁ의 크기는 몇 도인지 구해 보세요.

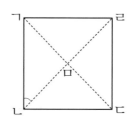

(   )

★ **필요한 모양 조각의 개수 구하기**

6 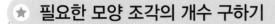 모양 조각으로 만든 모양입니다. 같은 모양을 모양 조각으로 만들려면 몇 개가 필요한지 구해 보세요.

답 _____

개념 피드백

·  모양 조각과  , , 모양 조각과의 관계

6-1 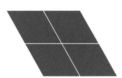 모양 조각으로 만든 모양입니다. 같은 모양을 ▲ 모양 조각으로 만들려면 몇 개가 필요한지 구해 보세요.

(   )

6-2 ▲ 모양 조각으로 만든 모양입니다. 같은 모양을 ▰ 모양 조각으로 만들려면 몇 개가 필요한지 구해 보세요.

(   )

1 한 변의 길이가 같은 정사각형과 정삼각형을 겹치지 않게 이어 붙인 도형입니다. 굵은 선의 길이는 몇 cm인지 구해 보세요.

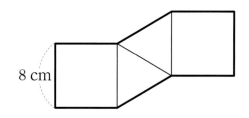

8 cm

해결하기 한 변의 길이가 같은 정사각형과 정삼각형을 겹치지 않게 이어 붙인 도형의 굵은 선의 길이는 정사각형 한 변의 길이의 ☐ 배입니다.

따라서 굵은 선의 길이는 8 × ☐ = ☐ (cm)입니다.

답 구하기 ☐ cm

2 한 변의 길이가 같은 정사각형과 정육각형을 겹치지 않게 이어 붙인 도형입니다. 굵은 선의 길이는 몇 cm인지 구해 보세요.

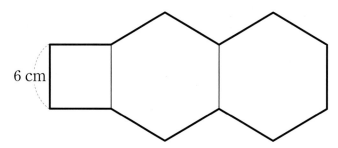

6 cm

해결하기

답 구하기

3 오른쪽 정육각형의 한 각의 크기는 몇 도인지 구해 보세요.

해결하기 그림과 같이 정육각형에 빨간색 선을 하나 그으면 정육각형의 모든 각의 크기의 합은 사각형의 모든 각의 크기의 합의 2배이므로 정육각형의 모든 각의 크기의 합은 ☐ ° × 2 = ☐ °입니다.

정육각형의 모든 각의 크기는 같으므로 한 각의 크기는 ☐ ° ÷ 6 = ☐ °입니다.

답 구하기 ☐ °

 4 오른쪽 정팔각형의 한 각의 크기는 몇 도인지 구해 보세요.

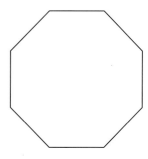

해결하기

답 구하기

준비물 붙임딱지

여러 가지 정다각형이 있습니다. 주어진 정다각형 붙임딱지를 한 점을 중심으로 겹치지 않게 이어 붙여서 360°를 만들고 만든 방법을 설명해 보세요.

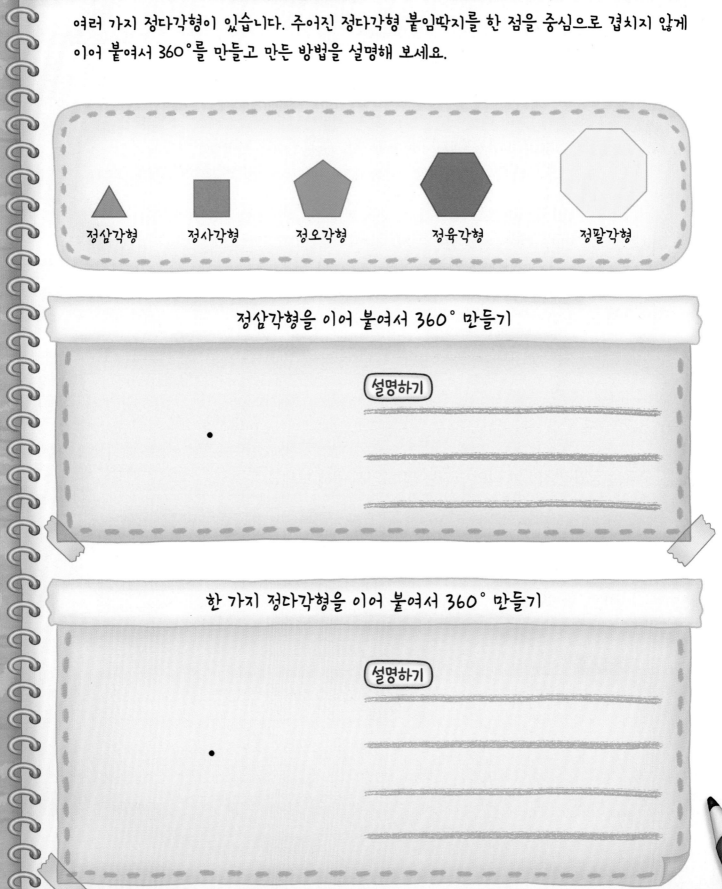

정삼각형   정사각형   정오각형   정육각형   정팔각형

정삼각형을 이어 붙여서 360° 만들기

설명하기

한 가지 정다각형을 이어 붙여서 360° 만들기

설명하기

2가지 정다각형을 이어 붙여서 360° 만들기

①

설명하기

_____

_____

_____

②

설명하기

_____

_____

_____

_____

3가지 정다각형을 이어 붙여서 360° 만들기

설명하기

_____

_____

_____

_____

준비물 붙임딱지

모양 조각 붙임딱지를 길이가 같은 변끼리 이어 붙여서 서로 다른 모양을 만들어 보고 만들 수 있는 모양의 수에 ○표 하세요. (단, 뒤집거나 돌렸을 때 같은 모양은 한 가지로 셉니다.)

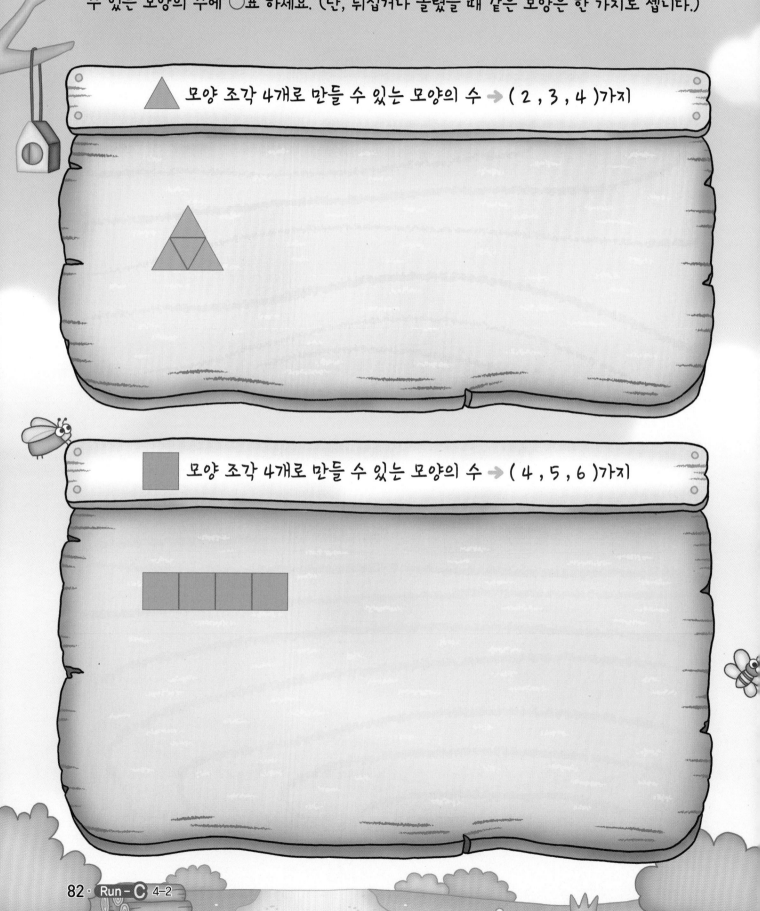

▲ 모양 조각 4개로 만들 수 있는 모양의 수 ➡ (2 , 3 , 4)가지

■ 모양 조각 4개로 만들 수 있는 모양의 수 ➡ (4 , 5 , 6)가지

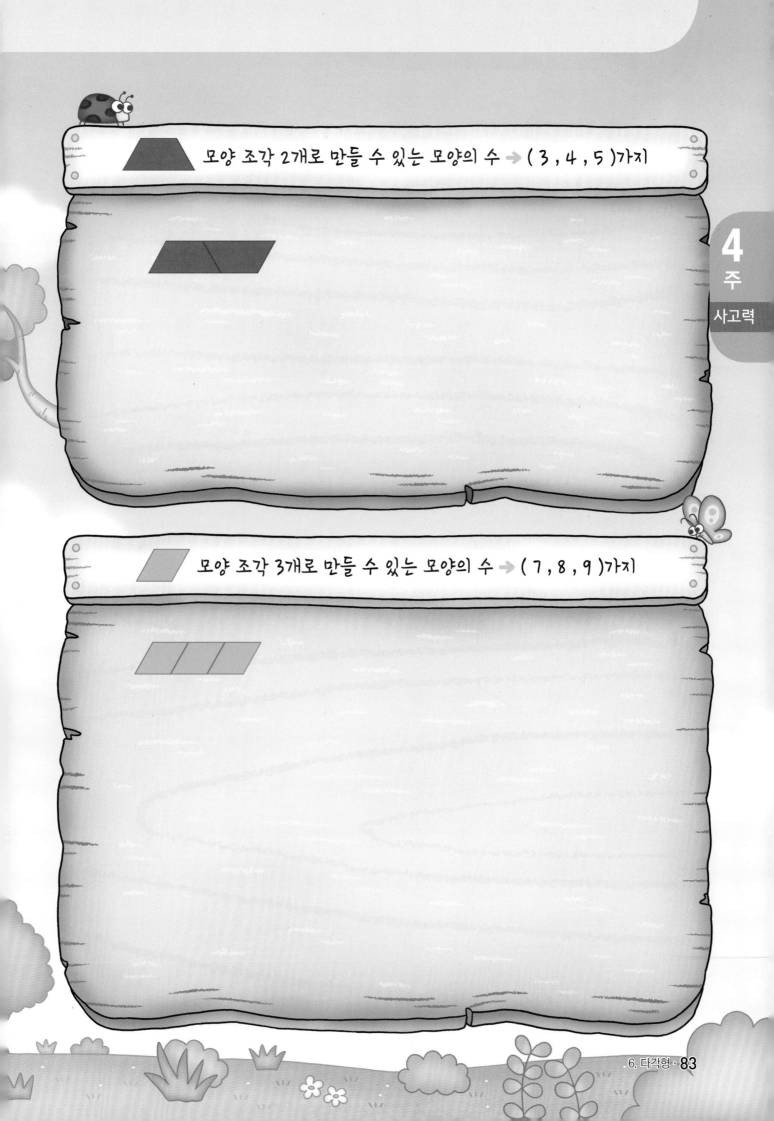

모양 조각 2개로 만들 수 있는 모양의 수 ➡ (3 , 4 , 5)가지

모양 조각 3개로 만들 수 있는 모양의 수 ➡ (7 , 8 , 9)가지

교과 사고력 잡기

1 다음 도형에 그을 수 있는 대각선을 모두 그어 보고 대각선의 수에서 규칙을 찾아보세요.

① 사각형의 대각선의 수: ☐개

+ ☐개

② 오각형의 대각선의 수: ☐개

+ ☐개

③ 육각형의 대각선의 수: ☐개

+ ☐개

④ 칠각형의 대각선의 수: ☐개

2 ㉠과 ㉡에 알맞은 수의 합을 구해 보세요.

> • 한 변의 길이가 5 cm인 정칠각형의 모든 변의 길이의 합은 ㉠ cm입니다.
> • 직사각형의 한 대각선의 길이가 16 cm일 때 다른 대각선의 길이는 ㉡ cm입니다.

1 ㉠에 알맞은 수는 얼마일까요?

(   )

2 ㉡에 알맞은 수는 얼마일까요?

(   )

3 ㉠＋㉡의 값은 얼마일까요?

(   )

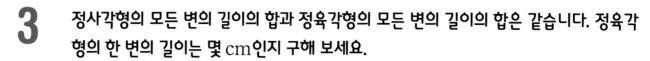

3 정사각형의 모든 변의 길이의 합과 정육각형의 모든 변의 길이의 합은 같습니다. 정육각형의 한 변의 길이는 몇 cm인지 구해 보세요.

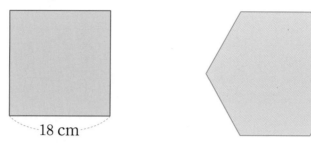

18 cm

① 정사각형의 모든 변의 길이의 합은 몇 cm일까요?

(   )

② 정육각형의 모든 변의 길이의 합은 몇 cm일까요?

(   )

③ 정육각형의 한 변의 길이는 몇 cm일까요?

(   )

4 그림과 같이 정육각형과 정삼각형을 겹치지 않게 이어 붙였습니다. 정육각형의 모든 변의 길이의 합이 24 cm일 때 빨간색 선의 길이는 몇 cm인지 구해 보세요.

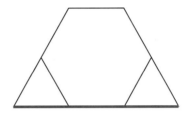

4주 사고력

1 정육각형의 한 변의 길이는 몇 cm일까요?

(   )

2 정삼각형의 한 변의 길이는 몇 cm일까요?

(   )

3 빨간색 선의 길이는 몇 cm일까요?

(   )

1 진주는 은색 철사를 사용하여 그림과 같이 정삼각형 모양의 귀걸이를 만들려고 합니다. 진주가 가지고 있는 철사의 길이가 1 m 20 cm일 때 귀걸이를 몇 쌍까지 만들 수 있는지 구해 보세요.

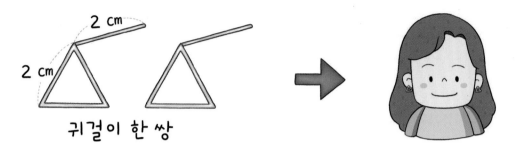

귀걸이 한 쌍

1 귀걸이 한 쌍을 만드는 데 필요한 철사는 몇 cm일까요?

(   )

2 1 m 20 cm는 몇 cm일까요?

(   )

3 귀걸이를 몇 쌍까지 만들 수 있을까요?

(   )

2 조건을 만족하는 다각형에 그을 수 있는 대각선은 모두 몇 개인지 구해 보세요.

> 조건
> • 변의 길이와 각의 크기가 모두 같습니다.
> • 다각형과 한 변의 길이가 같은 정삼각형 6개로 겹치지 않고 빈틈없이 덮을 수 있습니다.
> • 한 각의 크기는 120°입니다.

1 조건을 만족하는 도형을 그려 보세요.

2 위 **1**에서 그린 다각형에 그을 수 있는 대각선을 점선으로 모두 그어 보세요.

3 조건을 만족하는 다각형에 그을 수 있는 대각선은 모두 몇 개일까요?

(   )

3 사각형 ㄱㄴㄷㄹ은 한 대각선의 길이가 16 cm인 정사각형입니다. 삼각형 ㅁㄴㄷ의 세 변의 길이의 합은 몇 cm인지 구해 보세요.

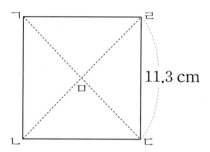

1 선분 ㄴㄷ의 길이는 몇 cm일까요?

( )

2 선분 ㅁㄴ의 길이는 몇 cm일까요?

( )

3 삼각형 ㅁㄴㄷ의 세 변의 길이의 합은 몇 cm일까요?

( )

4 정오각형의 변을 연장하여 만든 각 ㉠, ㉡, ㉢, ㉣, ㉤의 크기의 합을 구해 보세요.

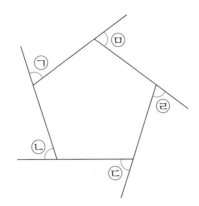

1 정오각형의 한 각의 크기는 몇 도일까요?

( )

2 ㉠의 각도는 몇 도일까요?

( )

3 ㉠＋㉡＋㉢＋㉣＋㉤의 값을 구해 보세요.

( )

1 다음 모양을 네 변의 길이의 합이 모두 다른 4개의 직사각형으로 나누고 직사각형의 네 변의 길이의 합을 모두 구해 보세요.

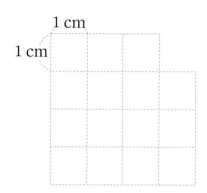

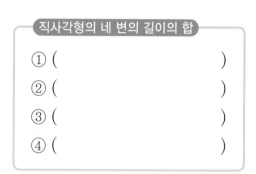

직사각형의 네 변의 길이의 합

① (   )

② (   )

③ (   )

④ (   )

2 다음 모양을 변의 수가 모두 다른 4개의 다각형으로 나누고 다각형의 이름을 모두 써 보세요.

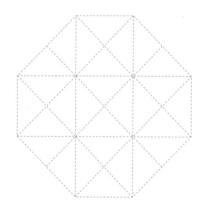

다각형의 이름

① (   )

② (   )

③ (   )

④ (   )

평가 영역 □개념 이해력 □개념 응용력 ☑창의력 □문제 해결력

3 보기와 같이 크기가 같은 정삼각형 모양의 색종이 두 장을 서로 겹쳤을 때 겹쳐진 부부분의 모양이 될 수 있는 것에 모두 ○표 하세요.

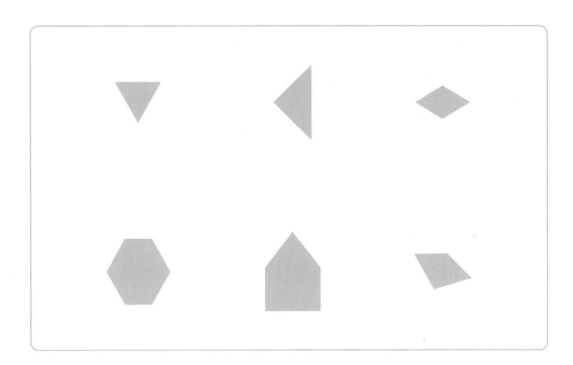

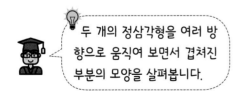

두 개의 정삼각형을 여러 방향으로 움직여 보면서 겹쳐진 부분의 모양을 살펴봅니다.

[1~2] 도형을 보고 물음에 답하세요.

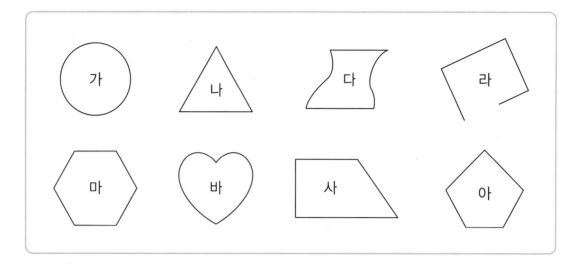

1 다각형을 모두 찾아 기호를 써 보세요.

(　　　　　　　　　　　　)

2 정다각형을 모두 찾아 기호를 써 보세요.

(　　　　　　　　　　　　)

3 10개의 선분으로 둘러싸인 도형을 무엇이라고 할까요?

(　　　　　　　　　　　　)

4 관계있는 것끼리 이어 보세요.

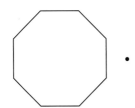 · · 정사각형

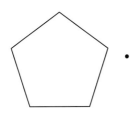 · · 정오각형

 · · 정팔각형

5 정다각형입니다. ☐ 안에 알맞은 수를 써넣으세요.

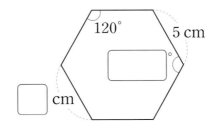

6 점 종이에 주어진 선분을 이용하여 칠각형과 팔각형을 완성해 보세요.

칠각형   팔각형

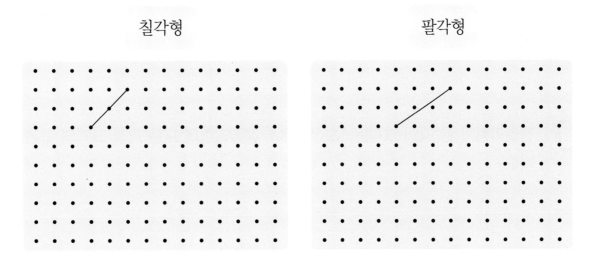

7 다음 모양을 만들려면 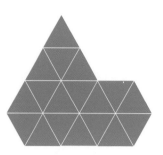 모양 조각은 몇 개 필요할까요?

(   )

8 대각선이 서로 수직으로 만나는 사각형을 모두 찾아 기호를 써 보세요.

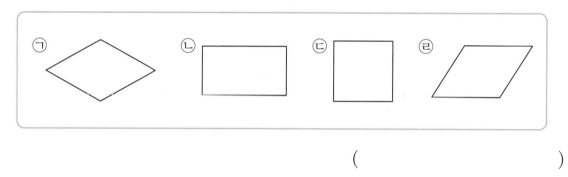

(   )

9 그을 수 있는 대각선의 수가 적은 것부터 차례로 기호를 써 보세요.

| ㉠ 오각형 | ㉡ 삼각형 | ㉢ 사각형 | ㉣ 육각형 | ㉤ 칠각형 |

(   )

10 정팔각형의 한 각의 크기는 135°입니다. 정팔각형의 모든 각의 크기의 합은 몇 도일까요?

(   )

11 왼쪽 모양 조각을 한 가지 종류만 사용하여 오른쪽 모양을 채우려면 각각의 모양 조각이 몇 개씩 필요한지 구해 보세요.

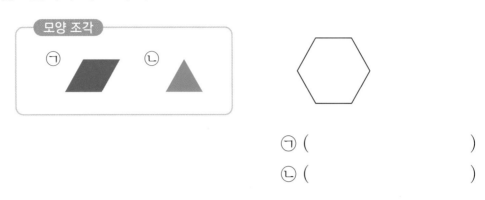

ㄱ (   )

ㄴ (   )

4
주
평가

12 ㉠과 ㉡에 알맞은 수의 합을 구해 보세요.

- 구각형의 변의 수는 ㉠개입니다.
- 모든 변의 길이의 합이 35 cm인 정오각형의 한 변의 길이는 ㉡ cm입니다.

(   )

13 주어진 모양 조각을 모두 사용하여 모양을 채워 보세요.

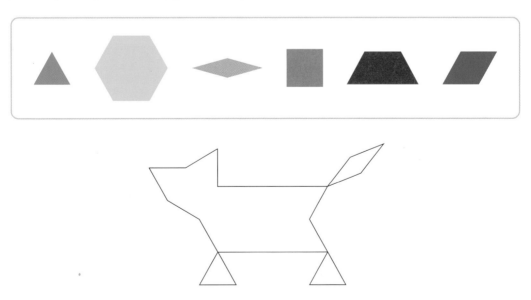

14 사각형 ㄱㄴㄷㄹ은 직사각형입니다. 선분 ㄱㅁ은 몇 cm인지 구해 보세요.

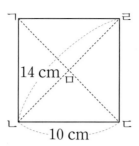

(   )

15 사각형 ㄱㄴㄷㄹ은 정사각형입니다. 각 ㄱㄹㅁ은 몇 도일까요?

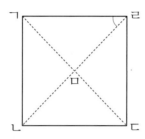

(   )

16 다음 도형은 정다각형이 아닙니다. 그 이유를 설명해 보세요.

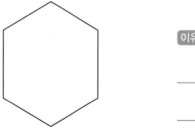

이유 _____

_____

_____

17 정십이각형의 한 각의 크기를 구해 보세요.

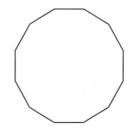

(   )

특강 창의·융합 사고력

1 축구공은 거의 완벽한 공 모양처럼 보이지만 정확히는 공 모양이 아닙니다. 축구공을 들여다보면 어떤 모양의 조각들로 이루어져 있는 것을 볼 수 있는데 바로 12개의 정오각형과 20개의 정육각형입니다. 축구공이 이런 모양으로 만들어진 이유는 대부분의 축구공이 가죽으로 만들어지기 때문입니다. 물론 완벽한 공 모양이어야 가장 잘 굴러가겠지만, 편평한 가죽으로 완벽한 공 모양을 만드는 것은 쉽지 않습니다. 수학자들이 열심히 연구한 결과 정오각형 12개와 정육각형 20개를 붙이면 거의 완벽한 공 모양을 만들 수 있다는 것을 알아냈고 그렇게 축구공을 만들고 있습니다. 물음에 답하세요.

(1) 한 개의 정오각형 조각은 몇 개의 정육각형 조각과 변끼리 맞닿아 있을까요?

(   )

(2) 축구공을 편평하게 펼쳤을 때 한 꼭짓점을 둘러싸고 있는 다각형의 각의 크기를 ☐ 안에 써넣고 각의 크기의 합이 360°보다 큰지 작은지 구해 보세요.

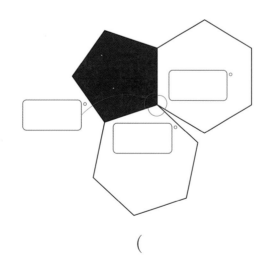

(   )

Memo

14~15쪽

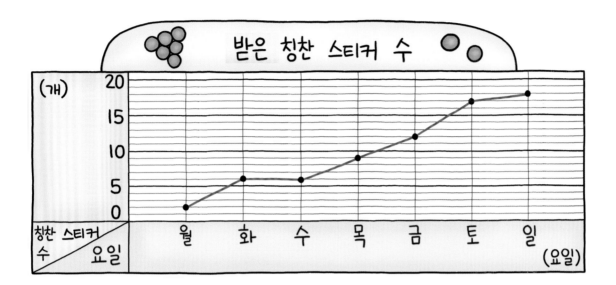

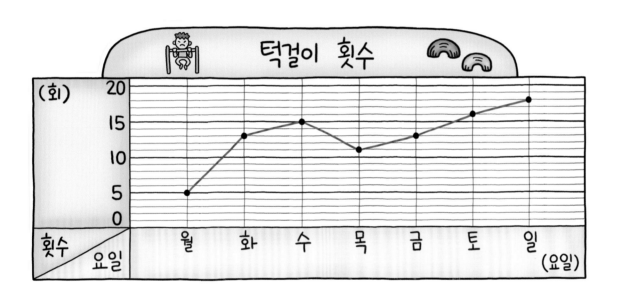

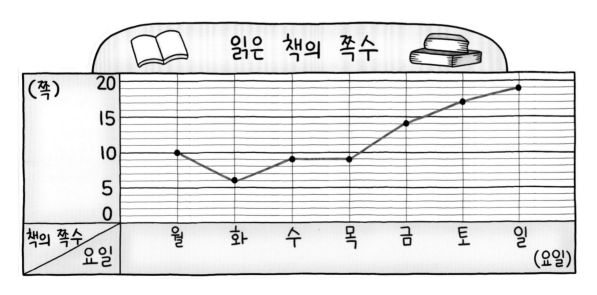

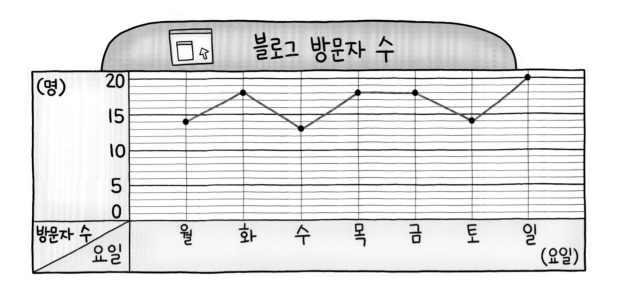

블로그 방문자 수

(명)							
20							
15							
10							
5							
0							

방문자 수 / 요일: 월 화 수 목 금 토 일 (요일)

16~17쪽

일에는 8마리, 수요일에는 11마리, 는 10마리를 판매하였습니다.

일에는 16마리, 수요일에는 20마리, 에는 28마리를 판매하였습니다.

일에는 11마리, 수요일에는 15마리, 에는 7마리를 판매하였습니다.

일에는 18마리, 수요일에는 26마리, 에는 30마리를 판매하였습니다.

32쪽

33쪽

34~35쪽

62~63쪽

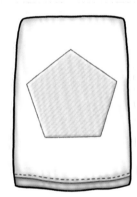
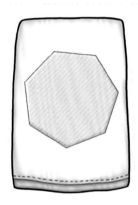

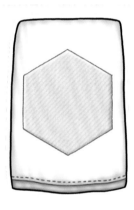

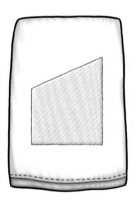
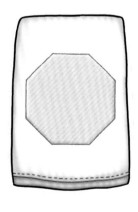
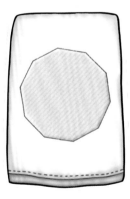
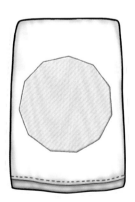
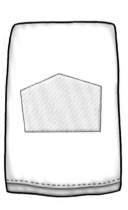

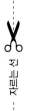
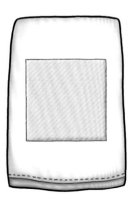
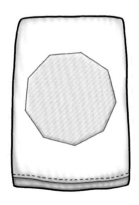
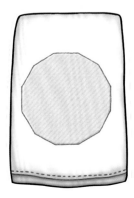
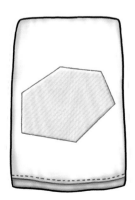
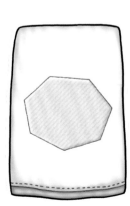

자르는 선

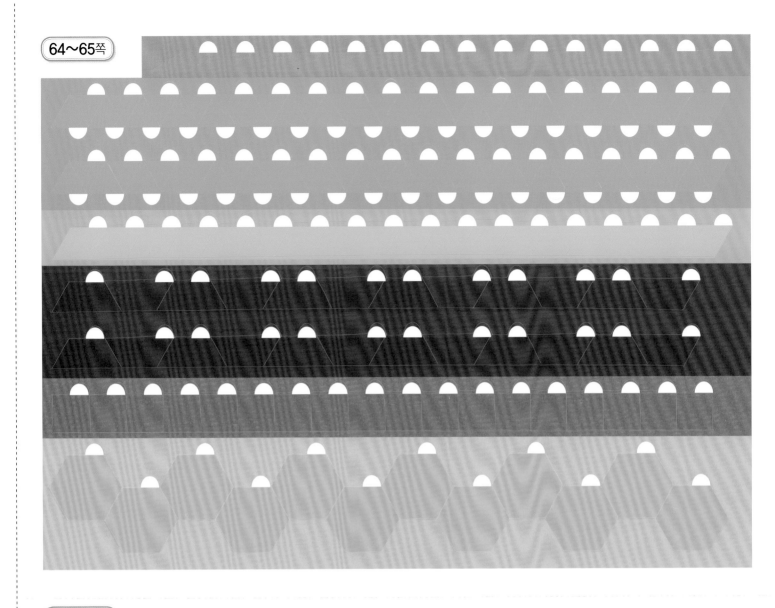

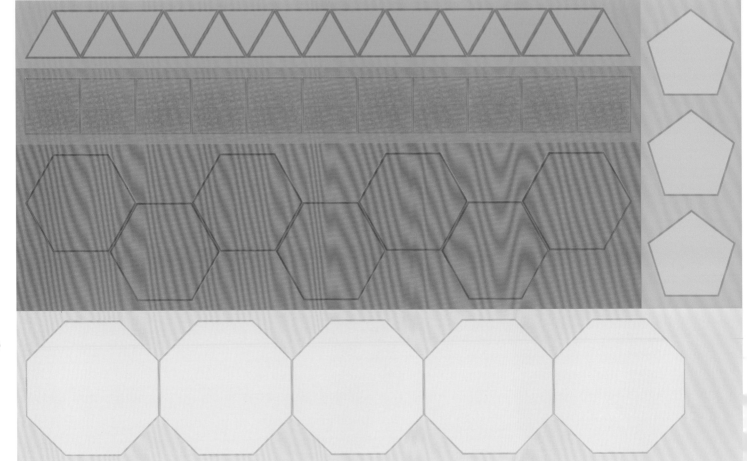

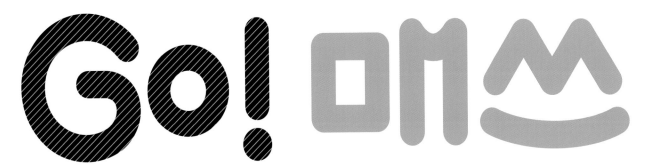

사고력
중심

교과서 GO! 사고력 GO!

GO! 매쓰

Run-C
교과서 사고력

정답과 풀이　　　수학 4-2

열심히
풀었으니까,
한 번 맞춰 볼까?

5 꺾은선그래프

그래프로 알아보는 인구수

다음은 우리나라의 인구수를 조사하고, 예상하여 나타낸 막대그래프입니다.

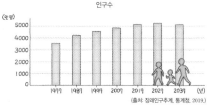

(출처: 장래인구추계, 통계청, 2019.)

생활 수준이 높아지고 건강에 관련된 기술이 발달하면서 우리나라의 인구수는 점점 늘어나고 있습니다. 하지만 인구 증가폭은 점점 낮아지고 있습니다. 따라서 우리나라의 인구수는 2028년까지 증가한 후, 그 이후부터는 감소할 것으로 전망되고 있습니다. 인구수가 변하는 이유로는 출생, 사망 그리고 다른 나라로의 이동이 있습니다.

우리나라의 출생아 수의 변화 알아보기

출생아 수

연도(년)	1977	1987	1997	2007	2017	……
출생아 수(만 명)	83	62	67	50	36	……

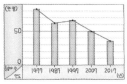

연도별 출생아 수를 그래프로 나타내면 변화를 한눈에 알아보기 쉽습니다. 그래프를 통해 알 수 있듯이 우리나라의 출생아 수는 빠르게 줄어들고 있습니다.

기대수명의 변화 알아보기

기대수명은 그해에 태어난 출생아가 앞으로 몇 년을 살 것인지를 예상한 평균 생존 연수입니다. 예를 들어 2017년의 기대수명이 83세이면 2017년에 태어난 사람은 83세까지 살 것으로 예상합니다. 우리나라의 기대수명은 1970년 이후로 빠른 속도로 늘어났습니다.

기대수명

연도(년)	1977	1987	1997	2007	2017
기대수명(세)	65	70	75	80	83

위 기대수명 표를 보고 막대그래프로 나타내어 보세요.

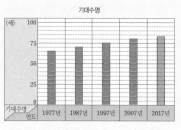

앞으로의 기대수명이 늘어날 것인지 줄어들 것인지 예상하여 써 보세요.

예 앞으로의 기대수명도 늘어날 것입니다.

---

1 단계 교과서 **개념 잡기**

개념 확인 문제

정답과 풀이 p.1

개념 1 꺾은선그래프 알아보기

꺾은선그래프: 수량을 점으로 표시하고 그 점들을 선분으로 이어 그린 그래프

막대그래프와 꺾은선그래프의 비교

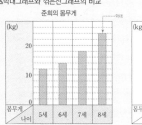
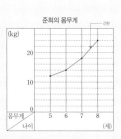

몸무게의 변화가 가장 큰 때가 몇 세와 몇 세 사이인지 알아볼 때 막대그래프에서는 막대의 길이의 차가 가장 큰 부분을 찾고, 꺾은 선그래프에서는 선분이 가장 많이 기울어진 곳을 찾아야 해요.

	막대그래프	꺾은선그래프
같은 점	• 준희의 몸무게를 조사하여 나타냈습니다. • 가로는 나이, 세로는 몸무게를 나타냅니다. • 세로 눈금 한 칸의 크기가 2 kg으로 같습니다.	
다른 점	• 막대로 나타냈습니다.	• 선분으로 나타냈습니다.

• 꺾은선그래프의 특징
  ┌ 시간에 따라 변화하는 모습을 알아보기 쉽습니다.
  ├ 중간의 값을 예상할 수 있습니다.
  └ 앞으로 변화될 모습을 예상할 수 있습니다.

동생의 몸무게를 매년 2월에 조사하여 나타낸 그래프입니다. 물음에 답하세요.

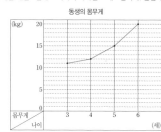

1-1 위와 같은 그래프를 무슨 그래프라고 할까요?

(**꺾은선그래프**)

1-2 그래프의 가로와 세로는 각각 무엇을 나타낼까요?

가로 (**나이**)
세로 (**몸무게**)

1-3 세로 눈금 한 칸은 몇 kg을 나타낼까요?

(**1 kg**)

❖ 세로 눈금 5칸이 5 kg을 나타내므로 세로 눈금 한 칸은
5÷5=1 (kg)을 나타냅니다.

1-4 꺾은선이 나타내는 것은 무엇의 변화일까요?

(**몸무게**)

1 단계 교과서 개념 잡기

개념 2 꺾은선그래프를 보고 내용 알아보기

운동장의 온도

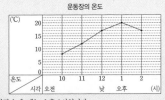

- 온도가 가장 높은 때는 오후 1시입니다.
- 세로 눈금 한 칸은 1 ℃를 나타냅니다.
- 온도가 올라가다가 내려가는 것을 알 수 있습니다.
- 온도의 변화가 가장 큰 때는 오전 11시와 낮 12시 사이입니다.

참고 선의 기울기와 변화 정도

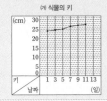 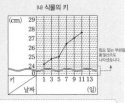

개념 3 물결선을 사용한 꺾은선그래프의 특징 알아보기

(가) 식물의 키   **(나) 식물의 키**

필요 없는 부분을 물결선으로 나타냈습니다.

- (가) 그래프와 (나) 그래프는 식물의 키를 조사하여 나타낸 것입니다.
- (나) 그래프에는 물결선이 있습니다.
  ➜ (나) 그래프는 필요 없는 부분을 줄여서 나타냈기 때문에 식물의 키가 변화하는 모습이 (가) 그래프보다 잘 나타납니다.

개념 확인 문제

정답과 풀이 p.2

2-1 어느 지역의 사과 생산량을 조사하여 나타낸 꺾은선그래프입니다. 물음에 답하세요.

사과 생산량

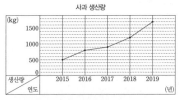

(1) 사과 생산량이 어떻게 변했는지 알맞은 것에 ○표 하세요.

| 사과 생산량이 점점 줄어들고 있습니다. | ( ) |
| 사과 생산량이 점점 늘어나고 있습니다. | (○) |

(2) 사과 생산량이 가장 많이 변한 때는 몇 년과 몇 년 사이일까요?

(2018년과 2019년 사이)

✚ 2018년과 2019년 사이에 선이 가장 많이 기울어졌습니다.

3-1 매년 5월에 보영이의 키를 재어 두 꺾은선그래프로 나타내었습니다. 두 그래프 중에서 값을 읽기가 더 편한 그래프의 기호를 쓰고, 2019년의 키는 2017년보다 몇 cm 더 자랐는지 구해 보세요.

(가) 보영이의 키   **(나) 보영이의 키**

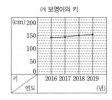 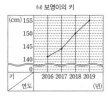

읽기가 더 편한 그래프 (**(나)**)

키의 변화 정도 (**11 cm**)

✚ (나) 그래프가 (가) 그래프보다 세로 눈금 한 칸의 크기가 더 작기 때문에 값을 읽기가 더 편합니다.
2017년: 144 cm, 2019년: 155 cm
➜ 155 − 144 = 11 (cm)

1 단계 교과서 개념 잡기

개념 4 자료를 조사하여 꺾은선그래프 그리기

- 지진 발생 횟수를 조사하여 꺾은선그래프로 나타내기

지진 발생 횟수

연도(년)	2008	2010	2012	2014	2016	2018
횟수(회)	50	40	50	40	250	120

조사한 수 중에서 가장 큰 수

① 가로와 세로에 무엇을 나타낼 것인가를 정합니다.
  ➜ 가로: 연도, 세로: 횟수
② 눈금 한 칸의 크기를 정하고, 조사한 수 중에서 가장 큰 수를 나타낼 수 있도록 눈금의 수를 정합니다.
  ➜ 세로 눈금 한 칸의 크기: 10회, 가장 큰 수: 250회
③ 가로 눈금과 세로 눈금이 만나는 자리에 점을 찍습니다.
④ 점들을 선분으로 잇습니다.
⑤ 꺾은선그래프에 알맞은 제목을 붙입니다.

지진 발생 횟수

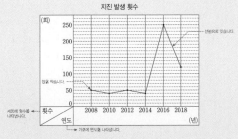

선분으로 잇습니다.

점을 찍습니다.

세로에 횟수를 나타냅니다.

가로에 연도를 나타냅니다.

주의 물결선을 사용하여 꺾은선그래프로 나타낼 때에는 조사한 수 중에서 가장 작은 수보다 작은 부분을 물결선으로 표시하여 나타냅니다.

개념 확인 문제

정답과 풀이 p.2

4-1 한 달 동안 어느 지역의 최고 기온을 조사하여 나타낸 표를 보고 꺾은선그래프로 나타내려고 합니다. 물음에 답하세요.

최고 기온

날짜(일)	1	8	15	22	29
기온(℃)	8	13	17	16	12

(1) 꺾은선그래프의 가로와 세로에는 각각 무엇을 나타내어야 할까요?

가로 (예 **날짜**), 세로 (예 **기온**)

✚ 일반적으로 가로에는 조사한 대상, 세로에는 조사한 수량을 나타내지만 세로에 조사한 대상, 가로에 조사한 수량을 나타낼 수도 있습니다.

(2) 세로 눈금 한 칸은 몇 ℃로 나타내어야 할까요?

(예 **1 ℃**)

(3) 꺾은선그래프로 나타내어 보세요.

예 최고 기온

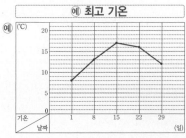

✚ 세로 눈금 한 칸의 크기를 1 ℃로 하여 나타낼 수 있습니다.
가로에 조사한 날짜를 쓰고 가로 눈금과 세로 눈금이 만나는 자리에 점을 찍은 후 점들을 선분으로 잇습니다.

1 단계 교과서 개념 잡기

개념 ⑤ 꺾은선그래프의 활용

• 꺾은선그래프의 내용 알아보기

리본 종목 최고 점수

연도(년)	점수(점)
2016	16
2017	16.4
2018	16.5
2019	16.8

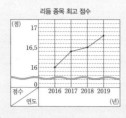

➡ 점수가 점점 올라가고 있습니다.

➡ 전년과 비교했을 때 점수가 가장 많이 오른 때는 2017년입니다.

• 리듬 체조 선수의 기록을 나타낸 두 꺾은선그래프를 보고 내용 알아보기

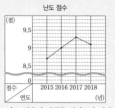 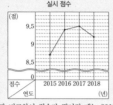

➡ 난도 점수의 변화를 살펴보면 전년과 비교하여 점수가 떨어진 때는 2018년 입니다.

➡ 실시 점수의 변화를 살펴보면 전년과 비교하여 점수가 가장 많이 오른 때는 2016년입니다.

➡ 연도별로 얻은 난도 점수는 최저 8.7점과 최고 9.3점이고, 연도별로 얻은 실시 점수는 최저 8.7점과 최고 9.5점입니다.

➡ 난도 점수와 실시 점수를 더해서 얻은 점수가 가장 높은 연도는 2017년입니다.

개념 확인 문제

정답과 풀이 p.3

5-1 어느 동영상의 1년 동안의 조회 수를 조사하여 나타낸 꺾은선그래프입니다. 물음에 답하세요.

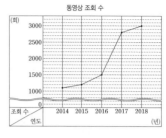

(1) 1년 동안의 조회 수를 나타낸 꺾은선그래프를 보고 표를 완성해 보세요.

동영상 조회 수

연도(년)	2014	2015	2016	2017	2018
조회 수(회)	1100	1200	1500	2800	3000

❖ 꺾은선그래프에서 세로 눈금 한 칸의 크기는 100회입니다.

(2) 조회 수가 가장 많은 연도와 가장 적은 연도의 차는 몇 회일까요?

(**1900회**)

❖ 2014년: 1100회, 2018년: 3000회
➡ 3000－1100＝1900(회)

(3) 전년과 비교하여 조회 수가 가장 많이 늘어난 때는 몇 년일까요?

(**2017년**)

❖ 기울어진 정도가 가장 심한 시기는 2016년과 2017년 사이 이므로 전년과 비교하여 조회 수가 가장 많이 늘어난 때는 2017년입니다.

PLAY 교과서 개념 스토리 — 일주일 동안의 변화

혜영이의 일주일 동안의 생활 모습을 꺾은선그래프로 나타내었습니다. 알맞은 꺾은선그래프를 찾아 붙이고, 추가로 더 알 수 있는 점을 찾아 써 보세요.

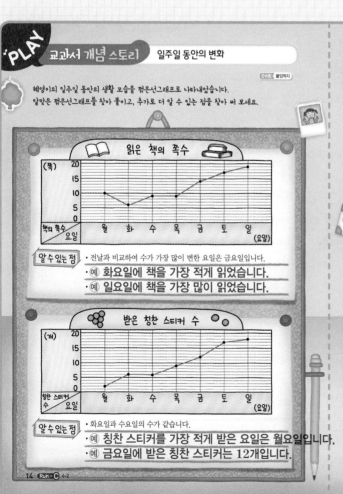

[알 수 있는 점] • 전날과 비교하여 수가 가장 많이 변한 요일은 금요일입니다.
• (예) 화요일에 책을 가장 적게 읽었습니다.
• (예) 일요일에 책을 가장 많이 읽었습니다.

[알 수 있는 점] • 화요일과 수요일의 수가 같습니다.
• (예) 칭찬 스티커를 가장 적게 받은 요일은 월요일입니다.
• (예) 금요일에 받은 칭찬 스티커는 12개입니다.

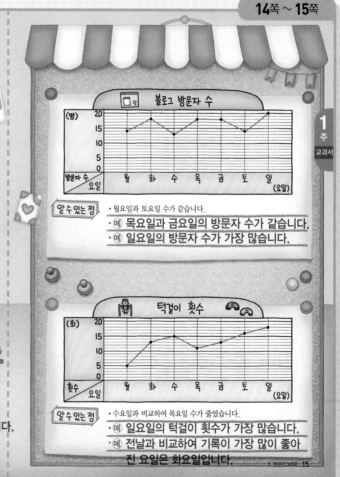

[알 수 있는 점] • 월요일과 토요일 수가 같습니다.
• (예) 목요일과 금요일의 방문자 수가 같습니다.
• (예) 일요일의 방문자 수가 가장 많습니다.

[알 수 있는 점] • 수요일과 비교하여 목요일 수가 줄었습니다.
• (예) 일요일의 턱걸이 횟수가 가장 많습니다.
• (예) 전날과 비교하여 기록이 가장 많이 좋아 진 요일은 화요일입니다.

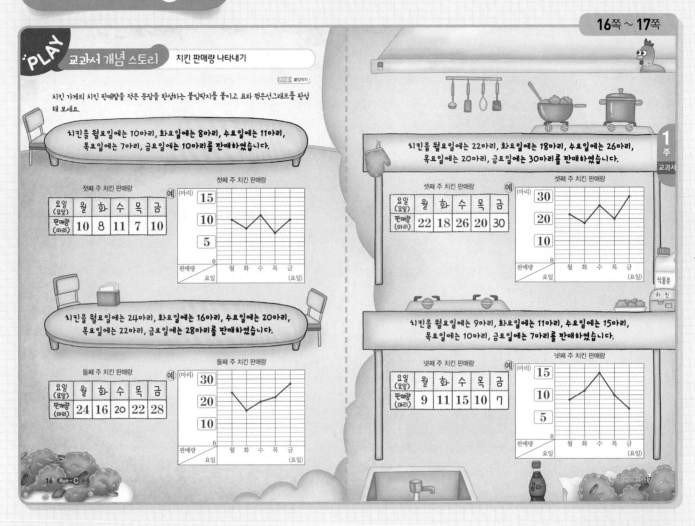

2단계 교과서 개념 다지기

정답과 풀이 p.4

개념1 꺾은선그래프 알아보기

01 헤미네 학교의 연도별 학생 수를 조사하여 나타낸 꺾은선그래프입니다. 물음에 답하세요.

연도별 학생 수

(1) 꺾은선그래프의 가로와 세로는 각각 무엇을 나타낼까요?

가로 (**연도**)
세로 (**학생 수**)

✿ 그래프의 가로는 연도를 나타내고, 세로는 학생 수를 나타냅니다.

(2) 그래프의 세로 눈금 한 칸은 몇 명을 나타낼까요?

(**20명**)

✿ 그래프의 세로 눈금 5칸이 100명을 나타내므로 세로 눈금 한 칸은 $100 \div 5 = 20$(명)을 나타냅니다.

(3) 꺾은선은 무엇을 나타낼까요?

(연도별 학생 수의 변화)

개념2 꺾은선그래프의 내용 알기

02 정훈이네 학교 체육관의 온도를 조사하여 나타낸 꺾은선그래프입니다. 물음에 답하세요.

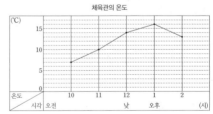

체육관의 온도

(1) 체육관의 온도가 가장 높은 때는 몇 시일까요?

(**오후 1시**)

✿ 그래프의 점의 위치가 가장 높은 때가 체육관의 온도가 가장 높은 때입니다.

(2) 체육관의 온도 변화가 가장 큰 때는 몇 시와 몇 시 사이일까요?

(**오전 11시와**)
낮 12시 사이

✿ 선이 가장 많이 기울어진 곳이 온도 변화가 가장 큰 때이므로 오전 11시와 낮 12시 사이입니다.

(3) 오후 2시는 오전 11시보다 온도가 몇 도 더 높아졌을까요?

(**3 ℃**)

✿ 세로 눈금 한 칸은 1 ℃를 나타내고, 오후 2시와 오전 11시는 세로 눈금 3칸 차이가 나므로 3 ℃ 더 높아졌습니다.

 **교과서 개념 다지기**

정답과 풀이 p.5

개념3 물결선을 사용하여 나타낸 꺾은선그래프

03 어느 지역의 연도별 강수량을 조사하여 나타낸 꺾은선그래프입니다. 물음에 답하세요.

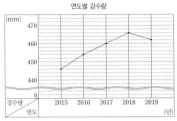
연도별 강수량

(1) 필요 없는 부분을 줄이기 위해서 사용한 것은 무엇일까요?

(**물결선**)

(2) 세로 눈금 한 칸의 크기는 몇 mm일까요?

(**2 mm**)

✿ 세로 눈금 5칸이 10 mm를 나타냅니다.
  ➡ 1칸: $10 \div 5 = 2$ (mm)

(3) 2018년은 2016년보다 강수량이 몇 mm 더 늘었을까요?

(**12 mm**)

✿ 2018년: 466 mm, 2016년: 454 mm
  ➡ $466 - 454 = 12$ (mm)

개념4 꺾은선그래프 그리기

04 어느 토스트 가게의 토스트 판매량을 조사하여 나타낸 표입니다. 물음에 답하세요.

토스트 판매량

날짜(일)	7	8	9	10	11
판매량(개)	100	220	280	200	260

(1) 표를 보고 꺾은선그래프로 나타낼 때 꺾은선그래프의 가로와 세로에는 각각 무엇을 나타내어야 할까요?

가로 (예 **날짜**)
세로 (예 **판매량**)

(2) 눈금은 적어도 몇 개까지 나타낼 수 있어야 할까요?

(**280개**)

✿ 판매량이 가장 많은 때는 9일이고 판매량은 280개이므로 눈금은 적어도 280개까지 나타낼 수 있어야 합니다.

(3) 꺾은선그래프로 나타내어 보세요.

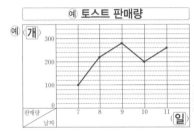
예 토스트 판매량

✿ 세로 눈금 한 칸의 크기는 $100 \div 5 = 20$(개)입니다.
가로 눈금과 세로 눈금이 만나는 자리에 점을 찍고 점들을 선분으로 잇습니다.

1주 교과서

교과서 개념 다지기

정답과 풀이 p.5

개념5 물결선을 사용한 꺾은선그래프 그리기

05 어느 가게의 월별 매출액을 조사하여 나타낸 표를 보고 물결선을 사용한 꺾은선그래프로 나타내려고 합니다. 물음에 답하세요.

월별 매출액

월(월)	10	11	12	1	2
매출액(만 원)	5200	6400	5000	7000	7600

(1) 물결선을 몇만 원과 몇만 원 사이에 넣는 것이 좋을까요?

예 **0원과 5000만 원 사이**

✿ 가장 적은 값이 5000만 원이므로 0원과 5000만 원 사이에 물결선을 넣는 것이 좋습니다.

(2) 표를 보고 물결선을 사용한 꺾은선그래프로 나타내어 보세요.

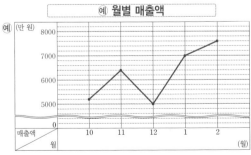
예 월별 매출액

(3) 전월과 비교하여 매출액이 줄어든 때는 몇 월일까요?

(**12월**)

✿ 선이 오른쪽 아래로 내려가는 부분은 11월과 12월 사이입니다.

(4) 전월과 비교하여 매출액이 가장 많이 늘어난 때는 몇 월일까요?

(**1월**)

✿ 늘어나는 부분 중에서 기울기가 가장 심한 부분을 찾으면 12월과 1월 사이입니다.

개념6 꺾은선그래프의 활용

06 두 지역의 쓰레기 배출량을 조사하여 나타낸 꺾은선그래프입니다. 물음에 답하세요.

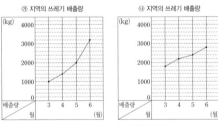
㉮ 지역의 쓰레기 배출량　　㉯ 지역의 쓰레기 배출량

(1) 쓰레기 배출량의 변화가 더 큰 지역은 어느 지역일까요?

(**㉮ 지역**)

✿ 선의 기울기가 더 심한 그래프를 찾으면 ㉮ 지역의 쓰레기 배출량 그래프입니다.

(2) ㉯ 지역의 쓰레기 배출량은 어떻게 변하고 있을까요?

(예 **늘어나고 있습니다.**)

✿ 선이 오른쪽 위로 올라가고 있으므로 쓰레기 배출량은 점점 늘어나고 있다고 말할 수 있습니다.

(3) 5월의 ㉮ 지역의 쓰레기 배출량은 ㉯ 지역의 쓰레기 배출량보다 몇 kg 더 적을까요?

(**400 kg**)

✿ ㉮ 지역: 2000 kg　㉯ 지역: 2400 kg
  ➡ $2400 - 2000 = 400$ (kg)

1주 교과서

③ 단계 교과서 실력 다지기

정답과 풀이 p.6

★ 꺾은선그래프를 보고 중간의 값 예상하기

1 어느 자동차 공장의 연도별 자동차 생산량을 조사하여 나타낸 꺾은선그래프입니다. 2014년의 자동차 생산량은 몇 대였을지 예상해 보세요.

❖ 2013년 생산량인 14000대와 2015년 생산량인 18000대의 중간일 것으로 예상합니다. 따라서 2014년 자동차 생산량은 16000대일 것입니다.

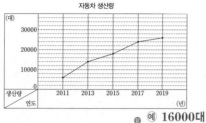

답 예 **16000대**

개념 파드북 • 꺾은선그래프에서는 두 가로 눈금 사이에 있는 그래프의 세로 눈금을 읽어 중간값을 예상할 수 있습니다.

1-1 어느 마을의 인구수를 조사하여 나타낸 꺾은선그래프입니다. 2018년의 인구수는 몇 명이었을지 예상해 보세요.

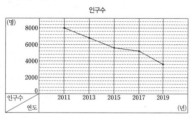

(예 **4400명**)

24 · Run - C 4-2 ❖ 2017년 인구수인 5200명과 2019년 인구수인 3600명의 중간일 것으로 예상합니다. 따라서 2018년 인구수는 4400명일 것입니다.

★ 꺾은선그래프에서 변화 정도 알아보기

2 어느 영화관의 관람객 수를 조사하여 나타낸 꺾은선그래프입니다. 전날과 비교하여 관람객 수의 변화가 가장 큰 요일을 구해 보세요.

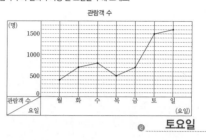

답 **토요일**

개념 파드북 • 꺾은선그래프에서 선분의 기울어진 정도를 보면 변화가 큰지, 작은지 알 수 있습니다.

❖ 관람객 수의 변화가 가장 큰 때는 선분이 가장 많이 기울어진 금요일과 토요일 사이입니다.

2-1 준영이의 턱걸이 횟수를 조사하여 나타낸 꺾은선그래프입니다. 전날과 비교하여 턱걸이 횟수의 변화가 가장 큰 요일을 구해 보세요.

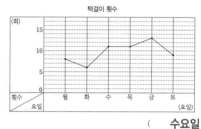

(**수요일**)

❖ 턱걸이 횟수의 변화가 가장 큰 때는 선분이 가장 많이 기울어진 화요일과 수요일 사이입니다.

5. 꺾은선그래프 · 25

③ 단계 교과서 실력 다지기

정답과 풀이 p.6

★ 세로 눈금의 크기 알아보기

3 어느 도시의 월별 출생아 수를 조사하여 나타낸 꺾은선그래프입니다. 세로 눈금 한 칸은 몇 명을 나타내는지 구해 보세요.

❖ 1600명과 1500명 사이에 세로 눈금이 5칸 있습니다.
1600−1500=100
➡ 100÷5=20(명)
세로 눈금 5칸이 100명을 나타내므로 세로 눈금 한 칸은 20명을 나타냅니다.

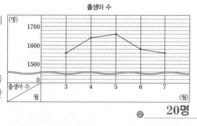

답 **20명**

개념 파드북 • 세로 눈금 한 칸의 크기 알아보기
① 수가 쓰여 있는 두 눈금 사이의 자료값의 차를 구합니다.
② ①에서 구한 자료값의 차를 눈금 수로 나눕니다.

3-1 정호네 고양이의 무게를 재어 나타낸 꺾은선그래프입니다. 세로 눈금 한 칸은 몇 kg을 나타내는지 구해 보세요.

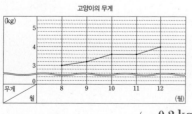

(**0.2 kg**)

26 · Run - C 4-2 ❖ 세로 눈금 5칸이 1 kg을 나타내므로 세로 눈금 한 칸은 0.2 kg을 나타냅니다.

★ 표와 꺾은선그래프 완성하기

4 재우의 윗몸 말아 올리기 횟수를 조사하여 나타낸 표와 꺾은선그래프입니다. 표와 꺾은선그래프를 완성해 보세요.

윗몸 말아 올리기 횟수

요일(요일)	월	화	수	목	금
횟수(회)	8	14	20	22	16

윗몸 말아 올리기 횟수

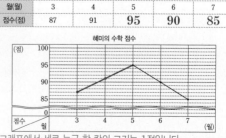

개념 파드북 • 가로 눈금과 세로 눈금이 만나는 자리에 점을 찍고, 점들을 선분으로 잇습니다.
• 꺾은선그래프의 눈금을 읽고 표를 완성합니다.

4-1 혜미의 월별 수학 점수를 기록하여 나타낸 표와 꺾은선그래프입니다. 표와 꺾은선그래프를 완성해 보세요.

혜미의 수학 점수

월(월)	3	4	5	6	7
점수(점)	87	91	95	90	85

혜미의 수학 점수

❖ 꺾은선그래프에서 세로 눈금 한 칸의 크기는 1점입니다.
3월과 4월의 점수에 맞게 점을 찍고, 점들은 선분으로 잇습니다.

5. 꺾은선그래프 · 27

 교과서 **실력 다지기**

정답과 풀이 p.7

★ 알맞은 그래프로 나타내기

5 과일 가게에 있는 과일 수를 조사하여 나타낸 표를 보고 막대그래프와 꺾은선그래프 중 더 알맞은 그래프로 나타내어 보세요.

과일 수

종류	사과	복숭아	감	배	포도
과일 수(개)	120	220	80	160	200

↓

예)

(막대그래프)

개념 피드백
· 항목별 수를 비교할 때에는 막대그래프로 나타내는 것이 더 좋습니다.
· 시간에 따라 변하는 양을 나타낼 때에는 꺾은선그래프로 나타내는 것이 더 좋습니다.

❖ 자료의 양을 비교할 때에는 막대그래프로 나타내는 것이 좋습니다.

5-1 어느 식물의 키를 조사하여 나타낸 표를 보고 막대그래프와 꺾은선그래프 중 더 알맞은 그래프로 나타내어 보세요.

식물의 키

날짜(일)	1	8	15	22	29
키(cm)	4	6	7	10	12

↓

예)

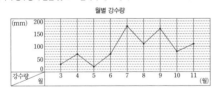

❖ 시간에 따른 변화를 쉽게 알 수 있으려면 꺾은선그래프로 나타내는 것이 좋습니다.

★ 두 꺾은선그래프 비교하기

6 1학년부터 4학년까지 매년 5월에 진주와 윤아의 키를 재어 나타낸 꺾은선그래프입니다. 두 사람의 키 차이가 가장 큰 때는 몇 cm가 차이나는지 구해 보세요.

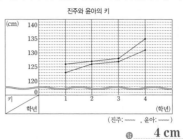

진주와 윤아의 키

(진주: ——— , 윤아: ———)

4 cm

개념 피드백
· 두 사람의 키의 차이가 가장 큰 때는 두 꺾은선그래프가 가장 많이 벌어진 때입니다.

❖ 진주와 윤아의 키 차이가 가장 큰 때는 4학년일 때입니다.
➡ 135 − 131 = 4 (cm)

6-1 어느 전자제품 대리점의 휴대폰과 노트북 판매량을 조사하여 나타낸 꺾은선그래프입니다. 휴대폰과 노트북 판매량의 차가 가장 큰 때는 몇 대 차이가 나는지 구해 보세요.

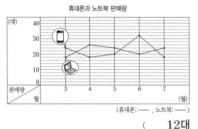

휴대폰과 노트북 판매량

(휴대폰: ——— , 노트북: ———)

(**12대**)

❖ 휴대폰과 노트북 판매량의 차가 가장 큰 때는 6월입니다.
➡ 32 − 20 = 12 (대)

Test 교과서 **서술형 연습**

정답과 풀이 p.7

1 다음은 어느 지역의 월별 강수량을 조사하여 나타낸 꺾은선그래프입니다. 9월부터 11월까지의 강수량의 합은 몇 mm인지 구해 보세요.

월별 강수량

(강수량 그래프)

해결하기) 9월의 강수량은 [170] mm, 10월의 강수량은 [80] mm, 11월의 강수량은 [110] mm입니다. 따라서 강수량의 합은 [360] mm입니다.

답 구하기) [360] mm

2 다음은 어느 지역의 월별 강수량을 조사하여 나타낸 꺾은선그래프입니다. 6월부터 8월까지의 강수량의 합은 몇 mm인지 구해 보세요.

월별 강수량

(강수량 그래프)

해결하기) 예) 6월의 강수량은 200 mm, 7월의 강수량은 140 mm, 8월의 강수량은 300 mm입니다. 따라서 강수량의 합은 200+140+300=640 (mm)입니다.

답 구하기) 640 mm

3 지영이의 월별 읽은 책의 수를 조사하여 나타낸 꺾은선그래프입니다. 가장 많이 읽은 달과 가장 적게 읽은 달의 책의 수의 차를 구해 보세요.

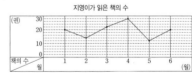

지영이가 읽은 책의 수

해결하기) 세로 눈금 한 칸은 [10] ÷ [2] 권을 나타냅니다. 책을 가장 많이 읽은 달은 [4]월이고 가장 적게 읽은 달은 [5]월입니다. 읽은 책의 수의 차는 [28] − [12] = [16] 권입니다.

답 구하기) [16] 권

4 어느 지역의 연도별 출생아 수를 조사하여 나타낸 꺾은선그래프입니다. 출생아가 가장 많은 해와 가장 적은 해의 출생아 수의 차는 몇 명인지 구해 보세요.

출생아 수

(출생아 수 그래프)

해결하기) 예) 세로 눈금 5칸이 200명을 나타내므로 세로 눈금 한 칸은 200÷5=40(명)을 나타냅니다. 출생아 수가 가장 많은 해는 2016년으로 640명입니다. 출생아 수가 가장 적은 해는 2018년으로 440명입니다.

답 구하기) 200명

➡ 640 − 440 = 200(명)

PLAY 사고력 개념 스토리 — 기온 그래프 나타내기

요일별 최저 기온과 최고 기온을 나타낸 표와 꺾은선그래프를 보고 최저 기온과 최고 기온이 적힌 붙임딱지를 붙여 보세요. 그리고 표와 꺾은선그래프를 완성해 보세요.

→ 최고 기온이 12 °C인 붙임딱지를 찾아 붙입니다.

12일 월	13일 화	14일 수	15일 목	16일 금	17일 토	18일 일
3/14	1/12	3/15	5/18	5/19	2/14	2/10

최고 기온과 최저 기온

요일(요일)	월	화	수	목	금	토	일
최고 기온(°C)	14	12	15	18	19	14	10
최저 기온(°C)	3	1	3	5	5	2	2

최고 기온과 최저 기온

(최고 기온: —, 최저 기온: —)

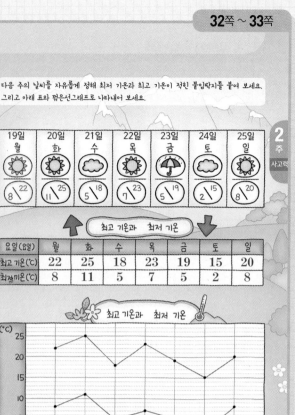

다음 주의 날씨를 자유롭게 정해 최저 기온과 최고 기온이 적힌 붙임딱지를 붙여 보세요. 그리고 아래 표와 꺾은선그래프로 나타내어 보세요.

예

19일 월	20일 화	21일 수	22일 목	23일 금	24일 토	25일 일
8/22	11/25	5/18	7/23	5/19	2/15	8/20

최고 기온과 최저 기온

예

요일(요일)	월	화	수	목	금	토	일
최고 기온(°C)	22	25	18	23	19	15	20
최저 기온(°C)	8	11	5	7	5	2	8

최고 기온과 최저 기온

(최고 기온: —, 최저 기온: —)

2주 사고력

32 · Run - C 4-2

5. 꺾은선그래프 · 33

PLAY 사고력 개념 스토리 — 행복 점수

승주의 월별 행복 점수를 꺾은선그래프로 나타내려고 합니다. 점수가 높으면 행복한 일이 가득하고, 점수가 낮으면 슬픈 일이 많은 때입니다. 표를 보고 아래에 알맞은 생활 붙임딱지를 붙여 보세요. 그리고 오른쪽에 꺾은선그래프로 나타내고 알 수 있는 점을 발표해 보세요.

월별 행복 점수

월 (월)	3	4	5	6	7	8	9
점수 (점)	10	5	13	10	7	12	3

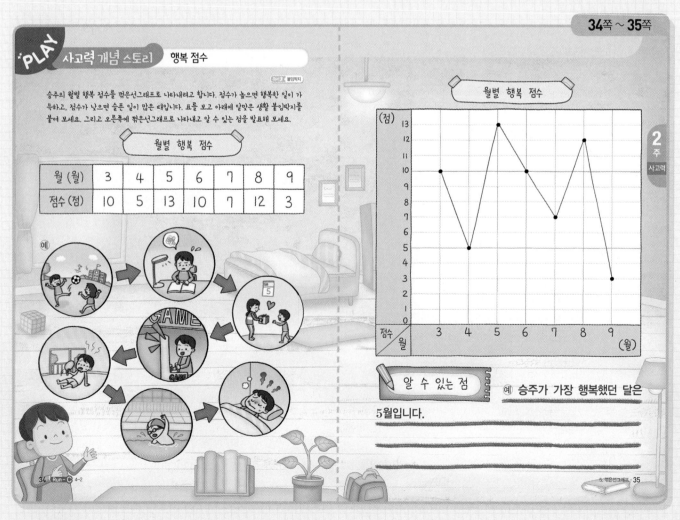

월별 행복 점수

알 수 있는 점

예 승주가 가장 행복했던 달은 5월입니다.

2주 사고력

34 · Run - C 4-2

5. 꺾은선그래프 · 35

1단계 교과 사고력 잡기

1 정우네 강아지의 무게를 매년 1월에 조사하여 나타낸 꺾은선그래프입니다. 강아지의 무게는 조사 기간 동안 몇 kg 늘었는지 구해 보세요.

강아지의 무게

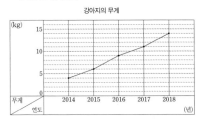

① 2014년의 강아지의 무게는 몇 kg일까요?

(**4 kg**)

✦ 세로 눈금 한 칸의 크기는 1 kg입니다.
따라서 2014년의 강아지의 무게는 4 kg입니다.

② 2018년의 강아지의 무게는 몇 kg일까요?

(**14 kg**)

③ 조사 기간 동안 강아지의 무게는 몇 kg 늘었을까요?

(**10 kg**)

✦ 14 − 4 = 10 (kg)

2 어느 쇼핑몰 사이트의 방문자 수를 조사하여 나타낸 꺾은선그래프입니다. 5월의 방문자 수가 4월의 방문자 수보다 800명 더 많다고 할 때 꺾은선그래프를 완성해 보세요.

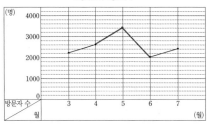

① 세로 눈금 한 칸은 몇 명을 나타낼까요?

(**200명**)

✦ 세로 눈금 5칸이 1000명을 나타내므로 세로 눈금 한 칸은
1000 ÷ 5 = 200(명)을 나타냅니다.

② 5월의 방문자 수는 몇 명일까요?

(**3400명**)

✦ 4월의 방문자 수가 2600명이므로 5월의 방문자 수는
2600 + 800 = 3400(명)입니다.

③ 꺾은선그래프를 완성해 보세요.

1단계 교과 사고력 잡기

3 어느 과수원에서 생산한 멜론 수를 월별로 조사하여 나타낸 표와 꺾은선그래프입니다. 표와 꺾은선그래프를 완성해 보세요.

생산한 멜론 수

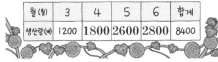

월(월)	3	4	5	6	합계
생산량(개)	1200	**1800**	**2600**	**2800**	8400

생산량 멜론 수

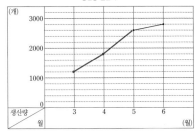

① 5월과 6월의 멜론 생산량은 각각 몇 개일까요?

5월 (**2600개**). 6월 (**2800개**)

✦ 세로 눈금 5칸이 1000개를 나타내므로 세로 눈금 한 칸은
1000 ÷ 5 = 200(개)를 나타냅니다.

② 4월의 멜론 생산량은 몇 개일까요?

(**1800개**)

✦ (4월의 멜론 생산량) = 8400 − 1200 − 2600 − 2800
= 1800(개)

③ 표와 꺾은선그래프를 완성해 보세요.

4 어느 소극장의 월별 관람객 수를 조사하여 나타낸 표를 보고 꺾은선그래프로 나타내려고 합니다. 물음에 답하세요.

관람객 수

월(월)	1	2	3	4	5
관람객 수(명)	140	200	180	150	90

관람객 수

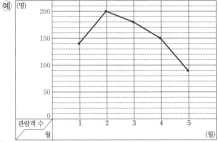

① 세로 눈금은 적어도 몇 명까지 나타낼 수 있어야 할까요?

(**200명**)

✦ 조사한 관람객 수 중에서 가장 큰 수는 200명입니다.
따라서 세로 눈금은 적어도 200명까지는 나타낼 수 있어야 합니다.

② 세로 눈금 한 칸은 몇 명을 나타내야 할까요?

(**예 10명**)

✦ 관람객 수의 일의 자리 숫자는 모두 0이므로 그래프의 세로
눈금 한 칸은 10명을 나타내면 좋습니다.

③ 꺾은선그래프를 완성해 보세요.

2단계 교과 사고력 확장

정답과 풀이 p.10

1 수근이와 재호의 키를 매년 2월에 조사하여 나타낸 꺾은선그래프입니다. 1학년 때부터 4학년 때까지 누구의 키가 몇 cm 더 많이 자랐는지 구해 보세요.

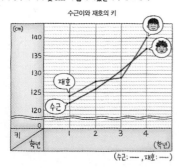

수근이와 재호의 키

(수근: ── , 재호: ──)

❶ 수근이는 1학년 때부터 4학년 때까지 몇 cm 자랐을까요?

(**15 cm**)

✢ 수근: 137 − 122 = 15 (cm)

❷ 재호는 1학년 때부터 4학년 때까지 몇 cm 자랐을까요?

(**16 cm**)

✢ 재호: 140 − 124 = 16 (cm)

❸ 누구의 키가 몇 cm 더 많이 자랐는지 차례로 써 보세요.

(**재호**), (**1 cm**)

✢ 재호가 16 − 15 = 1 (cm) 더 많이 자랐습니다.

2 어느 가게의 아이스크림 판매량을 조사하여 나타낸 꺾은선그래프입니다. 아이스크림 한 개의 가격이 700원일 때 3월부터 6월까지 아이스크림을 판매한 가격은 모두 얼마인지 구해 보세요.

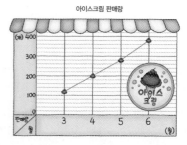

아이스크림 판매량

❶ 세로 눈금 한 칸은 몇 개를 나타낼까요?

(**20개**)

✢ 세로 눈금 5칸이 100개를 나타내므로 세로 눈금 한 칸은 100 ÷ 5 = 20(개)를 나타냅니다.

❷ 3월부터 6월까지 판매한 아이스크림은 모두 몇 개일까요?

(**980개**)

✢ 3월: 120개, 4월: 200개, 5월: 280개, 6월: 380개
➡ 120 + 200 + 280 + 380 = 980(개)

❸ 3월부터 6월까지 아이스크림을 판매한 가격은 모두 얼마일까요?

(**686000원**)

✢ 980 × 700 = 686000(원)

2단계 교과 사고력 확장

정답과 풀이 p.10

3 고장난 수도꼭지에서 샌 물의 양을 조사하여 꺾은선그래프로 나타냈습니다. 물은 한 시간 동안 최대 몇 L 샜는지 구해 보세요.

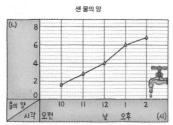

샌 물의 양

❶ 세로 눈금 5칸은 몇 L를 나타낼까요?

(**2 L**)

✢ 세로 눈금 5칸은 2 L를 나타냅니다.

❷ 선이 가장 많이 기울어진 때는 몇 시와 몇 시 사이일까요?

(낮 12시와 오후 1시 사이)

❸ 한 시간 동안 샌 물의 양은 최대 몇 L일까요?

(**2 L**)

✢ 선이 가장 많이 기울어진 때는 낮 12시와 오후 1시 사이이고 5칸 차이이므로 한 시간 동안 샌 물의 양은 2 L입니다.

4 물의 온도를 수온, 공기의 온도를 기온이라고 합니다. 바다의 수온과 기온을 오후 1시부터 오후 5시까지 1시간마다 조사하여 나타낸 꺾은선그래프입니다. 학생들의 대화를 읽고 꺾은선그래프를 완성해 보세요.

오후 1시와 오후 2시에 수온과 기온의 차는 각각 6 ℃예요.

조사한 시각이 5시인 경우에만 기온이 수온보다 낮았어요.

수온과 기온의 차가 가장 큰 때는 오후 3시이고 온도의 차는 10 ℃였어요.

바다의 수온과 기온

(수온: ── , 기온: ──)

✢ 오후 1시부터 오후 4시까지는 기온이 수온보다 높습니다.
오후 1시에 수온이 24 ℃이므로 기온은 6 ℃ 더 높은 30 ℃입니다.
오후 2시에 수온이 28 ℃이므로 기온은 6 ℃ 더 높은 34 ℃입니다.
오후 3시에 수온이 22 ℃이므로 기온은 10 ℃ 더 높은 32 ℃입니다.

③ 단계 교과 사고력 완성

정답과 풀이 p.11

평가 영역 ☐ 개념 이해력 ✓ 개념 응용력 ☐ 창의력 ☐ 문제 해결력

1 어느 공장에서 만든 초코파이 수를 조사하여 나타낸 꺾은선그래프입니다. 같은 빠르기로 초코파이를 만든다면 1시간 동안 초코파이를 몇 개 만들 수 있는지 구해 보세요.

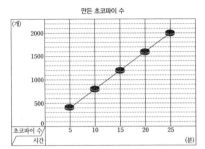

만든 초코파이 수

❶ 세로 눈금 한 칸은 몇 개를 나타낼까요?

(**100개**)

✤ 세로 눈금 5칸이 500개를 나타내므로 세로 눈금 한 칸은 500÷5＝100(개)를 나타냅니다.

❷ 5분 동안 초코파이를 몇 개 만들 수 있을까요?

같은 시간 동안 만드는 초코파이의 수는 일정해요.

(**400개**)

❸ 같은 빠르기로 초코파이를 만든다면 1시간 동안 초코파이를 몇 개 만들 수 있을까요?

✤ 1시간은 60분이고 60÷5＝12입니다. (**4800개**)
5분 동안 400개를 만들므로 1시간 동안에는 초코파이를 12×400＝4800(개) 만들 수 있습니다.

44 · Run · C 4-2

평가 영역 ☐ 개념 이해력 ☐ 개념 응용력 ☐ 창의력 ✓ 문제 해결력

2 20 kg 쌀 한 포대의 가격을 조사하여 나타낸 꺾은선그래프입니다. 세로 눈금 한 칸의 크기를 500원으로 하여 다시 그린다면 2018년과 2019년의 세로 눈금은 몇 칸 차이가 나는지 구해 보세요.

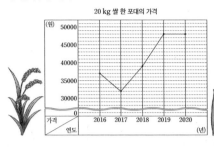

20 kg 쌀 한 포대의 가격

❶ 2018년과 2019년의 20 kg 쌀 한 포대의 가격을 각각 구해 보세요.

2018년 (**39000원**), 2019년 (**48000원**)

✤ 꺾은선그래프에서 세로 눈금 한 칸의 크기는 1000원입니다.

❷ 2018년과 2019년의 20 kg 쌀 한 포대의 가격의 차를 구해 보세요.

(**9000원**)

✤ 48000－39000＝9000(원)

❸ 세로 눈금 한 칸의 크기를 500원으로 하여 다시 그린다면 2018년과 2019년의 세로 눈금은 몇 칸 차이가 나는지 구해 보세요.

(**18칸**)

✤ 세로 눈금 한 칸의 크기가 500원이고 금액의 차가 9000원이므로 9000÷500＝18(칸) 차이가 납니다.

5. 꺾은선그래프 · 45

2주 사고력

Test 종합평가 · 5. 꺾은선그래프

맞은 개수

정답과 풀이 p.11

[1~4] 동혁이의 윗몸 말아 올리기 횟수를 요일별로 조사하여 나타낸 그래프입니다. 물음에 답하세요.

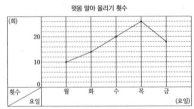

윗몸 말아 올리기 횟수

1 위와 같은 그래프를 무슨 그래프라고 할까요?

(**꺾은선그래프**)

2 그래프의 가로와 세로는 각각 무엇을 나타낼까요?

가로 (**요일**), 세로 (**횟수**)

✤ 그래프의 가로는 조사한 요일을 나타내고, 세로는 윗몸 말아 올리기를 한 횟수를 나타냅니다.

3 세로 눈금 한 칸은 몇 회를 나타낼까요?

(**2회**)

✤ 세로 눈금 5칸이 10회를 나타내므로 세로 눈금 한 칸은 10÷5＝2(회)를 나타냅니다.

4 그래프를 보고 표로 나타내어 보세요.

윗몸 말아 올리기 횟수

요일(요일)	월	화	수	목	금
횟수(회)	10	14	20	26	18

✤ 각 요일에 해당하는 세로 눈금을 읽습니다.

46 · Run · C 4-2

[5~8] 채민이네 학교 운동장의 온도를 조사하여 나타낸 꺾은선그래프입니다. 물음에 답하세요.

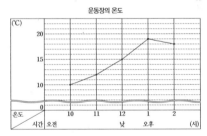

운동장의 온도

5 온도가 가장 높은 때는 몇 시일까요?

(**오후 1시**)

✤ 꺾은선그래프에서 가장 높은 곳에 있는 점의 가로 눈금은 오후 1시입니다.

6 온도 변화가 가장 큰 때는 몇 시와 몇 시 사이일까요?

(**낮 12시**)와 (**오후 1시**) 사이

✤ 선의 기울기가 가장 심한 때를 찾으면 낮 12시와 오후 1시 사이입니다.

7 오전 10시 30분의 온도는 몇 ℃였을지 예상해 보세요.
예 **11 ℃였을 것 같습니다.**

✤ 오전 10시의 온도 10 ℃와 오전 11시의 온도 12 ℃의 중간인 11 ℃로 예상할 수 있습니다.

8 오후 3시의 온도는 어떻게 될 것인지 예상해 보세요.
예 **오후 2시의 온도보다 더 낮아질 것 같습니다.**

✤ 오후 2시의 온도와 비슷하거나 더 낮아질 것으로 예상할 수 있습니다.

5. 꺾은선그래프 · 47

2주 평가

Test 종합평가 5. 꺾은선그래프

정답과 풀이 p.12

[9~11] 어느 가게의 새우맛 과자 판매량을 월별로 조사하여 나타낸 표입니다. 물음에 답하세요.

새우맛 과자 판매량

월(월)	4	5	6	7	8
판매량(개)	80	120	200	260	180

9 꺾은선그래프로 나타낼 때 가로의 세로에는 각각 무엇을 나타낼까요?

가로 (**예** 월), 세로 (**예** 판매량)

✿ 가로에 판매량을 나타내고, 세로에 월을 나타낼 수도 있습니다.

10 꺾은선그래프로 나타내어 보세요.

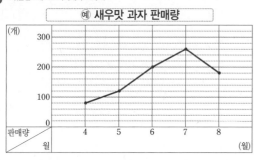
예 새우맛 과자 판매량

11 표와 꺾은선그래프 중 새우맛 과자 판매량의 변화를 한눈에 알아보기 쉬운 것은 어느 것일까요?

(꺾은선그래프)

✿ 판매량의 변화를 한눈에 알아보기 쉬운 것은 꺾은선그래프입니다.

48 · Run - C 4-2

[12~14] 어느 병원의 월별 감기 환자 수를 조사하여 나타낸 표와 꺾은선그래프입니다. 물음에 답하세요.

감기 환자 수

월(월)	8	9	10	11	12
환자 수(명)	16	**28**	32	**40**	56

감기 환자 수

12 세로 눈금 한 칸은 몇 명을 나타낼까요?

(**4명**)

✿ 세로 눈금 5칸이 20명을 나타내므로 세로 눈금 한 칸은 20÷5＝4(명)을 나타냅니다.

13 표와 꺾은선그래프를 완성해 보세요.

14 감기 환자 수가 가장 많은 때는 가장 적은 때보다 몇 명 더 많을까요?

(**40명**)

✿ 환자가 가장 많은 때: 12월 ➡ 56명
환자가 가장 적은 때: 8월 ➡ 16명
➡ 56－16＝40(명)

5. 꺾은선그래프 · 49

Test 종합평가 5. 꺾은선그래프

정답과 풀이 p.12

[15~18] 어느 학교의 4학년 남학생 수와 여학생 수를 조사하여 나타낸 꺾은선그래프입니다. 물음에 답하세요.

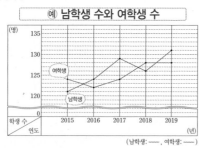
예 남학생 수와 여학생 수

(남학생: —— , 여학생: ——)

15 위 그래프의 빈 곳에 알맞은 제목을 써 보세요.

16 2016년에는 남학생이 여학생보다 몇 명 더 많을까요?

(**2명**)

✿ 2016년 남학생 수: 124명, 2016년 여학생 수: 122명
➡ 124－122＝2(명)

17 남학생과 여학생 수의 차가 가장 큰 해의 학생 수의 차는 몇 명일까요?

✿ 두 꺾은선의 세로 눈금의 칸 수 차이가 (**5명**) 가장 많이 나는 해는 2017년입니다.
2017년 남학생 수는 129명이고 여학생 수는 124명입니다.
➡ 129－124＝5(명)

18 2019년에 이 학교의 4학년 학생은 모두 몇 명일까요?

(**259명**)

✿ 남학생: 131명, 여학생: 128명 ➡ 131＋128＝259(명)

50 · Run - C 4-2

특강 창의·융합 사고력

정답과 풀이 p.12

1 서울의 인구수와 가구 수를 조사하여 꺾은선그래프로 나타냈습니다. 가구는 한 명 또는 2명 이상이 모여서 취사, 생계를 같이 하는 단위를 말합니다. 두 꺾은선그래프를 보고 물음에 답하세요.

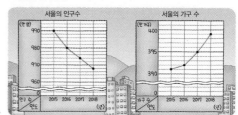
서울의 인구수   서울의 가구 수

(1) 알맞은 말에 ○표 하세요.

2015년부터 2018년까지 서울의 인구수는 (줄어들고, 늘어나고), 가구 수는 (줄어들고, **늘어나고**) 있습니다.

1인 가구는 혼자 사는 가구, 2인 가구는 둘이 사는 가구를 말해요.

(2) 그래프를 보고 승희가 예상하여 말한 내용입니다. 알맞은 말에 ○표 하세요.

승희

서울의 1인 가구 수와 2인 가구 수는 (줄어들고, **늘어나고**) 있는 것으로 예상할 수 있어요.

✿ 서울의 인구수는 줄어드는데 가구 수는 늘어나고 있습니다. 따라서 혼자 또는 둘이 사는 가구가 늘어나고 있는 것으로 예상할 수 있습니다.

(3) 서울의 인구수와 가구 수는 어떻게 될지 예상하는 내용을 2가지 써 보세요.

① **예 서울의 인구수는 줄어들 것입니다.**

② **예 서울의 가구 수는 늘어나다가 일정한 수준이 되면 줄어들 것입니다.**

5. 꺾은선그래프 · 51

 다각형

펜토미노 퍼즐

펜토미노는 정사각형 5개를 이어 붙여서 만들 수 있는 12가지의 도형을 이용한 퍼즐의 한 종류입니다. 펜토미노 퍼즐에 대하여 알아봅시다.

✿ 정사각형 5개를 이어 붙인 도형

많은 사람들이 즐겨 하는 테트리스와 비슷한 펜토미노라는 퍼즐이 있습니다.

펜토미노는 고대 로마에서 유래된 것으로 5개의 정사각형을 변끼리 이어 붙인 도형을 사용하여 퍼즐을 완성하는 놀이입니다. 다섯을 의미하는 그리스어 펜토(pento)와 조각으로 해석할 수 있는 그리스어 미노(mino)를 합쳐서 만들어진 단어입니다.

정사각형 5개를 변끼리 이어 붙여서 만들 수 있는 모양은 모두 12가지인데 다음과 같이 알파벳을 연상시키는 모양이어서 각 펜토미노 조각을 알파벳으로 부르는 경우가 많습니다.

펜토미노 조각

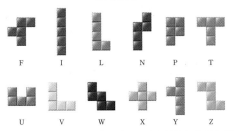

F   I   L   N   P   T

U   V   W   X   Y   Z

펜토미노 퍼즐은 영국의 퍼즐 연구가 헨리 듀드니가 1907년에 다양한 퍼즐의 해법을 담은 책 '캔터베리 퍼즐'에서 소개하면서 세상에 처음 알려졌고, 1953년에 미국의 솔로몬 골롬 박사가 하버드대학교의 수학클럽에서 강의를 하던 도중 최초로 '펜토미노'라는 용어를 사용하면서부터 지금까지 펜토미노로 불리게 되었습니다.

그 이후에도 펜토미노 퍼즐은 여러 사람들에게 사랑받으며 여러 유형의 풀이법들이 계속해서 개발되고 있습니다.

🐤 보기 와 같이 펜토미노 조각을 사용하여 정사각형을 완성해 보세요.

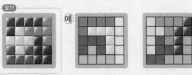

🐤 펜토미노 조각을 사용하여 닭 모양 퍼즐을 완성해 보세요.

예)

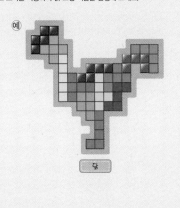

닭

---

① 단계 교과서 개념 잡기

개념 확인 문제

※ 정답과 풀이 p.13

개념 ① 다각형 알아보기

• 다각형: **선분으로만 둘러싸인 도형**

💬 내가 들고 있는 이 종이도 다각형 모양일까? LOVE

💬 선분으로만 둘러싸여 있으니까 다각형이 맞아!

✿ 다각형이 아닌 도형 알아보기

① 곡선이 포함되어 있는 도형

② 선분으로 완전히 둘러싸여 있지 않은 도형

• 다각형의 이름 알아보기

다각형은 모양과 관계없이 **변의 수**에 따라 이름이 정해집니다.

변이 ■개인 다각형을 ■각형이라고 부릅니다.

다각형					
변의 수	4개	5개	6개	7개	8개
이름	사각형	오각형	육각형	칠각형	팔각형

참고 한 다각형에서 변의 수, 각의 수, 꼭짓점의 수는 모두 같습니다.

1-1 □ 안에 알맞은 말을 써넣으세요.

위와 같이 선분으로만 둘러싸인 도형을 **다각형** 이라고 합니다.

1-2 관련 있는 것끼리 이어 보세요.

육각형

오각형

사각형

❖ 변이 4개인 다각형은 사각형, 변이 5개인 다각형은 오각형, 변이 6개인 다각형은 육각형입니다.

1-3 점 종이에 그려진 선분을 이용하여 칠각형을 완성해 보세요.

예)

❖ 변이 7개인 다각형이 되도록 꼭짓점 7개를 선으로 연결합니다.

③ 주 교과서

① 단계 교과서 개념 잡기

정답과 풀이 p.14

개념 ② 정다각형 알아보기

- 정다각형: **변의 길이가 모두 같고, 각의 크기가 모두 같은** 다각형

- 정다각형이 아닌 도형 알아보기

① 마름모

 마름모는 변의 길이가 모두 같지만 **각의 크기가** 항상 같은 것은 아니므로 정다각형이라고 할 수 없습니다.

② 직사각형

 직사각형은 각의 크기가 직각으로 모두 같지만 **변의 길이가** 항상 같은 것은 아니므로 정다각형이라고 할 수 없습니다.

- 정다각형의 이름 알아보기

변이 ■개인 정다각형을 정■각형이라고 부릅니다.

정다각형	△	□	⬠	⬡
변의 수	3개	4개	5개	6개
이름	정삼각형	정사각형	정오각형	정육각형

이 표지판은 정다각형일까? / 정지 STOP / 8개의 변의 길이가 모두 같고, 각의 크기가 모두 같으니까 정팔각형이야!

개념 확인 문제

2-1 정다각형을 모두 찾아 ○표 하세요.

( )   (○)   ( )   (○)

✤ 변의 길이가 모두 같고, 각의 크기가 모두 같은 정다각형을 찾아 ○표 합니다.

2-2 정다각형인 것을 찾아 기호를 써 보세요.

ㄱ ㄴ ㄷ ㄹ

✤ 변의 길이가 모두 같고, 각의 크기가 모두 같은 정다각형을 찾으면 ㄷ입니다.   (ㄷ)

2-3 정다각형의 이름을 써 보세요.

(1)   (2)

(**정오각형**)   (**정칠각형**)

✤ (1) 변이 5개인 정다각형은 정오각형입니다.
(2) 변이 7개인 정다각형은 정칠각형입니다.

2-4 모눈종이에 크기가 서로 다른 정육각형을 2개 그려 보세요.

(예)

① 단계 교과서 개념 잡기

정답과 풀이 p.14

개념 ③ 대각선 알아보기

- 대각선: 다각형에서 서로 이웃하지 않는 두 꼭짓점을 이은 선분

- 다각형의 대각선의 수 알아보기

① 삼각형

삼각형은 세 꼭짓점이 서로 이웃하고 있으므로 대각선을 그을 수 없습니다.

② 사각형

사각형은 한 꼭짓점에서 그을 수 있는 대각선의 수는 1개이고, 그을 수 있는 대각선의 수는 모두 2개입니다.

③ 오각형

오각형은 한 꼭짓점에서 그을 수 있는 대각선의 수는 2개이고, 그을 수 있는 대각선의 수는 모두 5개입니다.

꼭짓점의 수가 많은 다각형일수록 더 많은 대각선을 그을 수 있습니다.

여러 가지 사각형의 대각선의 성질 알아보기

평행사변형	마름모	직사각형	정사각형
한 대각선이 다른 대각선을 똑같이 둘로 나눕니다.		두 대각선의 길이가 같습니다.	두 대각선이 서로 수직으로 만납니다.
평행사변형, 마름모, 직사각형, 정사각형		직사각형, 정사각형	마름모, 정사각형

개념 확인 문제

3-1 다각형에 그을 수 있는 대각선을 모두 그어 보세요.

(1)  ← 2개   (2) ← 5개

✤ 서로 이웃하지 않는 꼭짓점끼리 선으로 잇습니다.

3-2 칠각형의 한 꼭짓점에서 그을 수 있는 대각선은 몇 개인지 구해 보세요.

(**4개**)

✤ 칠각형의 한 꼭짓점과 이웃하지 않는 꼭짓점은 4개이므로 한 꼭짓점에서 그을 수 있는 대각선은 4개입니다.

3-3 크기를 비교하여 ○ 안에 >, =, <를 알맞게 써넣으세요.

| 팔각형에 그을 수 있는 대각선의 수 | < | 십각형에 그을 수 있는 대각선의 수 |

✤ 꼭짓점의 수가 많은 다각형일수록 그을 수 있는 대각선의 수가 많습니다.

3-4 사각형을 보고 물음에 답하세요.

가 나 다 라 마

(1) 두 대각선의 길이가 같은 사각형을 모두 찾아 기호를 써 보세요.

(**다, 라**)

(2) 두 대각선이 서로 수직으로 만나는 사각형을 모두 찾아 기호를 써 보세요.

(**라, 마**)

✤ (1) 대각선을 그었을 때 두 대각선의 길이가 같은 사각형은 다, 라입니다.
(2) 대각선을 그었을 때 두 대각선이 서로 수직으로 만나는 사각형은 라, 마입니다.

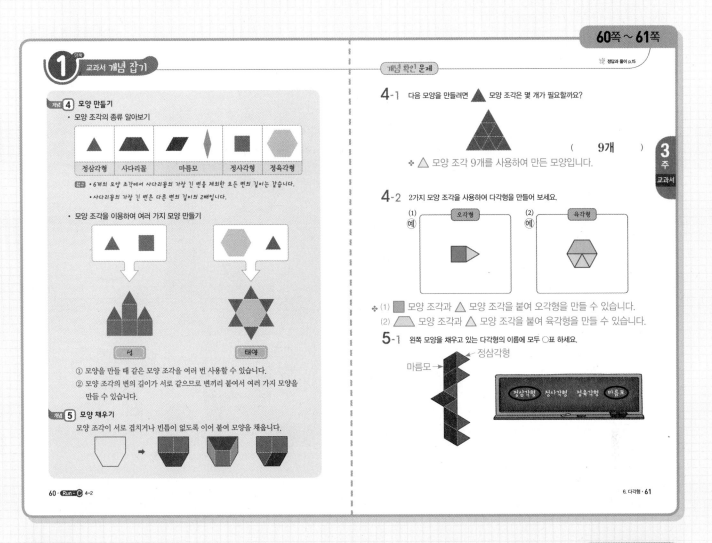

①단계 교과서 개념 잡기

개념 ④ 모양 만들기

• 모양 조각의 종류 알아보기

| 정삼각형 | 사다리꼴 | 마름모 | 정사각형 | 정육각형 |

참고 • 6개의 모양 조각에서 사다리꼴의 가장 긴 변을 제외한 모든 변의 길이는 같습니다.
• 사다리꼴의 가장 긴 변은 다른 변의 길이의 2배입니다.

• 모양 조각을 이용하여 여러 가지 모양 만들기

[성] [태양]

① 모양을 만들 때 같은 모양 조각을 여러 번 사용할 수 있습니다.
② 모양 조각의 변의 길이가 서로 같으므로 변끼리 붙여서 여러 가지 모양을 만들 수 있습니다.

개념 ⑤ 모양 채우기

모양 조각이 서로 겹치거나 빈틈이 없도록 이어 붙여 모양을 채웁니다.

개념 확인 문제

정답과 풀이 p.15

4-1 다음 모양을 만들려면 ▲ 모양 조각은 몇 개가 필요할까요?

(9개)

❖ △ 모양 조각 9개를 사용하여 만든 모양입니다.

4-2 2가지 모양 조각을 사용하여 다각형을 만들어 보세요.

(1) 예 [오각형]

(2) 예 [육각형]

❖ (1) ■ 모양 조각과 △ 모양 조각을 붙여 오각형을 만들 수 있습니다.
(2) ▱ 모양 조각과 △ 모양 조각을 붙여 육각형을 만들 수 있습니다.

5-1 왼쪽 모양을 채우고 있는 다각형의 이름에 모두 ○표 하세요.

마름모 ← → 정삼각형

정삼각형 정사각형 정육각형 마름모

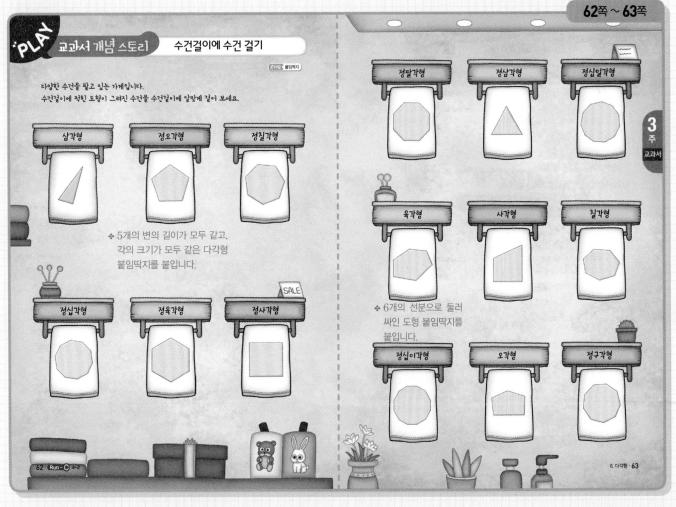

PLAY 교과서 개념 스토리 수건걸이에 수건 걸기

다양한 수건을 팔고 있는 가게입니다.
수건걸이에 적힌 도형이 그려진 수건을 수건걸이에 알맞게 걸어 보세요.

삼각형 / 정오각형 / 정칠각형

❖ 5개의 변의 길이가 모두 같고, 각의 크기가 모두 같은 다각형 붙임딱지를 붙입니다.

정십각형 / 정육각형 / 정사각형

정팔각형 / 정삼각형 / 정십일각형

육각형 / 정사각형 / 칠각형

❖ 6개의 선분으로 둘러싸인 도형 붙임딱지를 붙입니다.

정십이각형 / 오각형 / 정구각형

PLAY 교과서 개념 스토리 학급 게시판 꾸미기

모양 조각을 사용하여 채운 작품으로 교실 뒤편에 있는 학급 게시판을 꾸미려고 합니다.
주어진 모양 조각 붙임딱지만 여러 번 붙여서 작품을 채워 보세요.

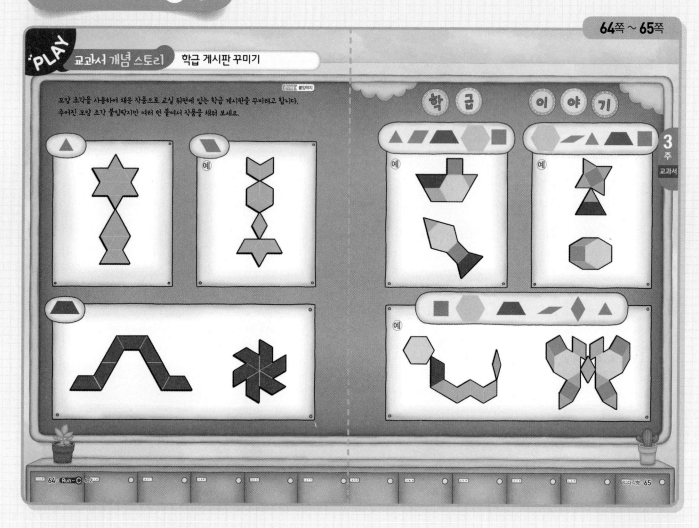

3주 교과서

---

2 단계 교과서 개념 다지기

✿ 정답과 풀이 p.16

개념 1 다각형 알아보기

01 ☐안에 알맞은 말을 써넣으세요.

삼각형, 사각형, 오각형처럼 **선분** (으)로만 둘러싸인 도형을 다각형이라고 합니다.

✿ 선분으로만 둘러싸인 도형을 다각형이라고 합니다.

02 안전 표지판에서 볼 수 있는 다각형의 이름을 써 보세요.

(1)

(사각형 또는 사다리꼴)

(2)
(오각형 또는 정오각형)

✿ (1) 변이 4개인 다각형이므로 사각형입니다.
   (2) 변이 5개인 다각형이므로 오각형입니다.

03 점 종이에 육각형과 칠각형을 각각 1개씩 그려 보세요.

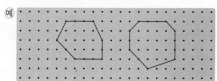

✿ 변의 수와 꼭짓점의 수가 각각 6개인 육각형과 변의 수와 꼭짓점의 수가 각각 7개인 칠각형을 1개씩 그립니다.

개념 2 정다각형 알아보기

04 정다각형을 모두 찾아 기호를 써 보세요.

(**가, 라**)

✿ 변의 길이가 모두 같고, 각의 크기가 모두 같은 정다각형을 찾으면 가, 라입니다.

05 정다각형입니다. ☐안에 알맞은 수를 써넣으세요.

(1)

120° 7 cm
7 cm **120**

(2)

108 9 cm
9 cm 108°

✿ 정다각형은 변의 길이가 모두 같고, 각의 크기가 모두 같습니다.

06 모눈종이에 크기가 서로 다른 정사각형을 3개 그려 보세요.

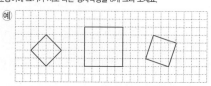

✿ 한 변의 길이가 서로 다른 3개의 정사각형을 그립니다.

3주 교과서

② 단계 교과서 **개념 다지기**

정답과 풀이 p.17

개념3 대각선 알아보기

07 사각형에 그을 수 있는 대각선을 바르게 나타낸 것에 ○표 하세요.

( ) (○) ( )

✿ 서로 이웃하지 않는 두 꼭짓점을 선분으로 이은 것을 찾습니다.

08 도형에 그을 수 있는 대각선은 모두 몇 개일까요?

(1)    (2)

(**2개**)   (**9개**)

09 대각선의 수가 많은 것부터 차례로 기호를 써 보세요.

←2개   ←0개   ←5개

(㉢, ㉠, ㉡)

개념4 여러 가지 사각형의 대각선의 성질 알아보기

10 대각선의 길이가 같은 사각형을 모두 찾아 기호를 써 보세요.

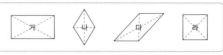

(**가, 라**)

✿ 대각선을 그었을 때 두 대각선의 길이가 같은 사각형은 가, 라 입니다.

11 대각선이 서로 수직으로 만나는 사각형을 모두 찾아 기호를 써 보세요.

(**가, 다**)

✿ 대각선을 그었을 때 두 대각선이 서로 수직으로 만나는 사각형은 가, 다입니다.

12 한 대각선이 다른 대각선을 똑같이 둘로 나누는 사각형을 모두 찾아 기호를 써 보세요.

평행사변형↗   ↖직사각형

(**나, 다**)

✿ 대각선을 그었을 때 한 대각선이 다른 대각선을 똑같이 둘로 나누는 사각형은 나, 다입니다.

② 단계 교과서 **개념 다지기**

정답과 풀이 p.17

개념5 모양 만들기

13 다음 모양을 만들려면 ◆ 모양 조각은 몇 개 필요할까요?

(**7개**)

✿ ▱ 모양 조각 7개를 사용하여 만든 모양입니다.

14 다음 모양을 만드는 데 사용한 다각형의 이름을 모두 찾아 ○표 하세요.

육각형
삼각형

((삼각형), 사각형, (육각형))

15 다음 모양을 만드는 데 사용한 다각형을 모두 찾아 이름을 써 보세요.

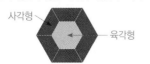

사각형
육각형

(**사각형 또는 사다리꼴, 육각형 또는 정육각형**)

개념6 모양 채우기

16 다음 모양을 채우려면 ▲ 모양 조각은 몇 개 필요할까요?

(**8개**)

17 모양 조각을 보고 물음에 답하세요.

(1) 모양 조각을 사용하여 서로 다른 방법으로 정삼각형을 채워 보세요.

(2) 모양 조각을 사용하여 다음 모양을 채워 보세요.

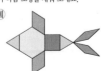

③ 단계 교과서 실력 다지기

정답과 풀이 p.18

★ 정다각형의 한 변의 길이 구하기

1 모든 변의 길이의 합이 54 cm인 정육각형이 있습니다. 이 도형의 한 변의 길이는 몇 cm인지 구해 보세요.

답 **9 cm**

개념 피드백 (정다각형의 한 변의 길이)=(정다각형의 모든 변의 길이의 합)÷(변의 수)
=(정다각형의 모든 변의 길이의 합)÷■

✿ 정육각형은 변이 6개이고 변의 길이가 모두 같습니다.
➡ (한 변의 길이)=54÷6=9 (cm)

1-1 모든 변의 길이의 합이 108 cm인 정구각형이 있습니다. 이 도형의 한 변의 길이는 몇 cm인지 구해 보세요.

(**12 cm**)

✿ 정구각형은 변이 9개이고 변의 길이가 모두 같습니다.
➡ (한 변의 길이)=108÷9=12 (cm)

1-2 모든 변의 길이의 합이 288 cm인 정십이각형이 있습니다. 이 도형의 한 변의 길이는 몇 cm인지 구해 보세요.

(**24 cm**)

✿ 정십이각형은 변이 12개이고 변의 길이가 모두 같습니다.
➡ (한 변의 길이)=288÷12=24 (cm)

★ 정다각형의 한 각의 크기 구하기

2 다음 정다각형의 모든 각의 크기의 합은 540°입니다. 이 정다각형의 한 각의 크기를 구해 보세요.

답 **108°**

개념 피드백 (정다각형의 한 각의 크기)=(정다각형의 모든 각의 크기의 합)÷(각의 수)
=(정다각형의 모든 각의 크기의 합)÷■

✿ 주어진 정다각형은 5개의 각의 크기가 모두 같은 정오각형입니다.
➡ (한 각의 크기)=540°÷5=108°

2-1 다음 정다각형의 모든 각의 크기의 합은 720°입니다. 이 정다각형의 한 각의 크기를 구해 보세요.

(**120°**)

✿ 주어진 정다각형은 6개의 각의 크기가 모두 같은 정육각형입니다.
➡ (한 각의 크기)=720°÷6=120°

2-2 다음 정다각형의 모든 각의 크기의 합은 1080°입니다. 이 정다각형의 한 각의 크기를 구해 보세요.

(**135°**)

✿ 주어진 정다각형은 8개의 각의 크기가 모두 같은 정팔각형입니다.
➡ (한 각의 크기)=1080°÷8=135°

3주 교과서

---

③ 단계 교과서 실력 다지기

정답과 풀이 p.18

★ 정다각형의 이름 알아보기

3 한 변의 길이가 4 cm이고 모든 변의 길이의 합이 36 cm인 정다각형이 있습니다. 이 정다각형의 이름은 무엇인지 써 보세요.

답 **정구각형**

개념 피드백 정다각형의 변의 길이는 모두 같습니다.
➡ (정다각형의 변의 수)=(정다각형의 모든 변의 길이의 합)÷(한 변의 길이)

✿ 정다각형의 변의 길이는 모두 같습니다.
한 변의 길이가 4 cm이고 모든 변의 길이의 합이 36 cm인 정다각형의 변의 수는 36÷4=9(개)입니다.
➡ 변이 9개인 정다각형은 정구각형입니다.

3-1 한 변의 길이가 6 cm이고 모든 변의 길이의 합이 48 cm인 정다각형이 있습니다. 이 정다각형의 이름은 무엇인지 써 보세요.

(**정팔각형**)

✿ 한 변의 길이가 6 cm이고 모든 변의 길이의 합이 48 cm인 정다각형의 변의 수는 48÷6=8(개)입니다.
➡ 변이 8개인 정다각형은 정팔각형입니다.

3-2 한 변의 길이가 9 cm이고 모든 변의 길이의 합이 63 cm인 정다각형이 있습니다. 이 정다각형의 이름은 무엇인지 써 보세요.

(**정칠각형**)

✿ 한 변의 길이가 9 cm이고 모든 변의 길이의 합이 63 cm인 정다각형의 변의 수는 63÷9=7(개)입니다.
➡ 변이 7개인 정다각형은 정칠각형입니다.

3-3 한 변의 길이가 11 cm이고 모든 변의 길이의 합이 132 cm인 정다각형이 있습니다. 이 정다각형의 이름은 무엇인지 써 보세요.

(**정십이각형**)

✿ 한 변의 길이가 11 cm이고 모든 변의 길이의 합이 132 cm인 정다각형의 변의 수는 132÷11=12(개)입니다.
➡ 변이 12개인 정다각형은 정십이각형입니다.

★ 한 대각선의 길이 구하기

4 사각형 ㄱㄴㄷㄹ은 직사각형입니다. 선분 ㄱㄷ의 길이는 몇 cm인지 구해 보세요.

답 **16 cm**

개념 피드백 • 여러 가지 사각형의 대각선의 성질

	두 대각선의 길이가 같습니다.	한 대각선이 다른 대각선을 똑같이 둘로 나눕니다.	두 대각선이 서로 수직으로 만납니다.
평행사변형		○	
직사각형	○	○	
마름모		○	○
정사각형	○	○	○

✿ 직사각형은 두 대각선의 길이가 같고 서로를 똑같이 둘로 나눕니다.
➡ (선분 ㄱㄷ)=(선분 ㄴㄹ)=8×2=16 (cm)

4-1 사각형 ㄱㄴㄷㄹ은 마름모입니다. 선분 ㄴㄹ의 길이는 몇 cm인지 구해 보세요.

(**12 cm**)

✿ 마름모는 두 대각선이 서로를 똑같이 둘로 나눕니다.
➡ (선분 ㄴㄹ)=6×2=12 (cm)

4-2 사각형 ㄱㄴㄷㄹ은 정사각형입니다. 선분 ㄱㄷ의 길이는 몇 cm인지 구해 보세요.

(**10 cm**)

✿ 정사각형은 두 대각선의 길이가 같고 서로를 똑같이 둘로 나눕니다.
➡ (선분 ㄱㄷ)=(선분 ㄴㄹ)=5×2=10 (cm)

3주 교과서

 교과서 실력 다지기

★ 대각선을 그어 생기는 각의 크기 구하기

5 사각형 ㄱㄴㄷㄹ은 직사각형입니다. 각 ㅁㄷㄴ의 크기는 몇 도인지 구해 보세요.

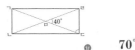

답 __70°__

💡 정답과 풀이 p.19

개념 피드백
① 직사각형은 두 대각선의 길이가 같고, 한 대각선이 다른 대각선을 똑같이 둘로 나눕니다.
② 직사각형에 대각선을 그었을 때 생기는 4개의 삼각형은 모두 이등변삼각형입니다.

❖ 직사각형은 두 대각선의 길이가 같고, 한 대각선이 다른 대각선을 똑같이 둘로 나누므로 삼각형 ㅁㄷㄹ은 이등변삼각형입니다.
➡ (각 ㅁㄷㄹ)+(각 ㅁㄹㄷ)=180°－40°=140°,
(각 ㅁㄷㄹ)=140°÷2=70°

5-1 사각형 ㄱㄴㄷㄹ은 직사각형입니다. 각 ㅁㄱㄴ의 크기는 몇 도인지 구해 보세요.

❖ 직선이 이루는 각도는 180°
이므로 (각 ㄱㅁㄴ)=180°－130°=50°입니다. (__65°__)
직사각형은 두 대각선의 길이가 같고, 한 대각선이 다른 대각선을 똑같이 둘로 나누므로 삼각형 ㅁㄱㄴ은 이등변삼각형입니다.
➡ (각 ㅁㄱㄴ)+(각 ㅁㄴㄱ)=180°－50°=130°, (각 ㅁㄱㄴ)=130°÷2=65°

5-2 사각형 ㄱㄴㄷㄹ은 정사각형입니다. 각 ㄱㄴㅁ의 크기는 몇 도인지 구해 보세요.

(__45°__)

❖ 정사각형은 두 대각선이 서로 수직으로 만나므로 각 ㄱㅁㄴ은 90°입니다.
정사각형은 두 대각선의 길이가 같고, 한 대각선이 다른 대각선을 똑같이 둘로 나누므로 삼각형 ㅁㄱㄴ은 이등변삼각형입니다.
➡ (각 ㅁㄱㄴ)+(각 ㅁㄴㄱ)=180°－90°=90°,
(각 ㅁㄴㄱ)=90°÷2=45°

★ 필요한 모양 조각의 개수 구하기

6 모양 조각으로 만든 모양입니다. 같은 모양을 ▲ 모양 조각으로 만들려면 몇 개가 필요한지 구해 보세요.

답 __6개__

💡 정답과 풀이 p.19

개념 피드백 · ▲ 모양 조각과  모양 조각과의 관계

❖ 🔷 모양 조각 2개로 만든 모양을 △ 모양 조각으로 만들려면 3×2=6(개)가 필요합니다.

6-1 모양 조각으로 만든 모양입니다. 같은 모양을 ▲ 모양 조각으로 만들려면 몇 개가 필요한지 구해 보세요.

(__8개__)

❖ 🔷 모양 조각 4개로 만든 모양을 △ 모양 조각으로 만들려면 2×4=8(개)가 필요합니다.

6-2 ▲ 모양 조각으로 만든 모양입니다. 같은 모양을 🔷 모양 조각으로 만들려면 몇 개가 필요한지 구해 보세요.

(__6개__)

❖ △ 모양 조각 12개로 만든 모양을 🔷 모양 조각으로 만들려면 12÷2=6(개)가 필요합니다.

3
주
교과서

Test 교과서 서술형 연습

💡 정답과 풀이 p.19

1 한 변의 길이가 같은 정사각형과 정삼각형을 겹치지 않게 이어 붙인 도형입니다. 굵은 선의 길이는 몇 cm인지 구해 보세요.

8 cm

해결하기 한 변의 길이가 같은 정사각형과 정삼각형을 겹치지 않게 이어 붙인 도형의 굵은 선의 길이는 정사각형 한 변의 길이의 __8__ 배입니다.
따라서 굵은 선의 길이는 8×__8__=__64__ (cm)입니다.

답 구하기 __64__ cm

2 한 변의 길이가 같은 정사각형과 정육각형을 겹치지 않게 이어 붙인 도형입니다. 굵은 선의 길이는 몇 cm인지 구해 보세요.

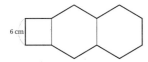
6 cm

해답하기 예 한 변의 길이가 같은 정사각형과 정육각형을 겹치지 않게 이어 붙인 도형의 굵은 선의 길이는 정사각형 한 변의 길이의 12배입니다. 따라서 굵은 선의 길이는 6×12=72 (cm)입니다.

답 구하기 __72 cm__

3 오른쪽 정육각형의 한 각의 크기는 몇 도인지 구해 보세요.

해결하기 그림과 같이 정육각형에 빨간색 선을 하나 그으면 정육각형의 모든 각의 크기의 합은 사각형의 모든 각의 크기의 합의 2배이므로 정육각형의 모든 각의 크기의 합은 __360__ °×2=__720__ °입니다.
정육각형의 모든 각의 크기는 같으므로 한 각의 크기는 __720__ °÷6=__120__ °입니다.

답 구하기 __120__ °

4 오른쪽 정팔각형의 한 각의 크기는 몇 도인지 구해 보세요.

해결하기 예 정팔각형에 선을 2개 그으면 정팔각형의 모든 각의 크기의 합은 사각형의 모든 각의 크기의 합의 3배이므로 정팔각형의 모든 각의 크기의 합은 360°×3=1080°입니다. 정팔각형의 모든 각의 크기는 같으므로 한 각의 크기는 1080°÷8=135°입니다.

답 구하기 __135°__

3
주
교과서

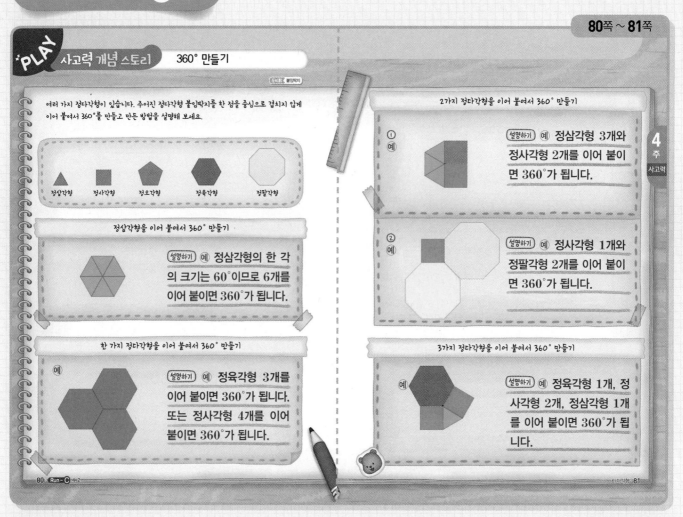

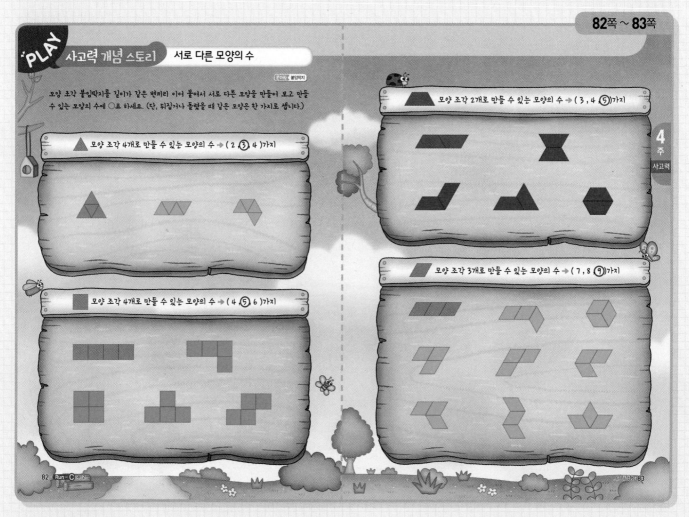

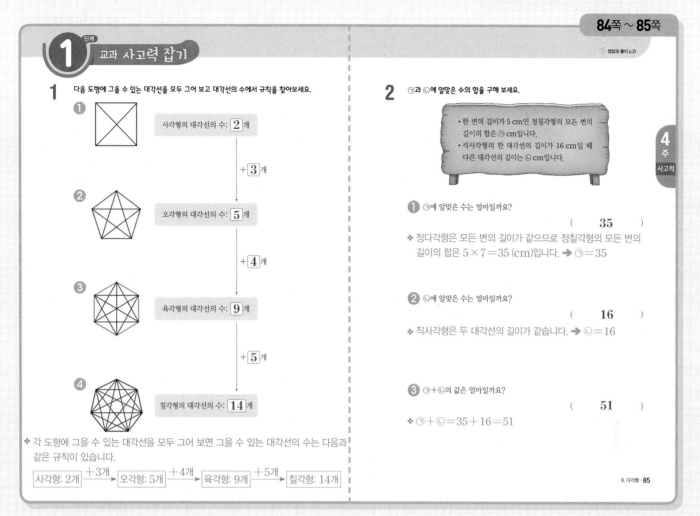

1 단계 교과 사고력 잡기

1 다음 도형에 그을 수 있는 대각선을 모두 그어 보고 대각선의 수에서 규칙을 찾아보세요.

❶ 사각형의 대각선의 수: **2** 개

+**3** 개

❷ 오각형의 대각선의 수: **5** 개

+**4** 개

❸ 육각형의 대각선의 수: **9** 개

+**5** 개

❹ 칠각형의 대각선의 수: **14** 개

❖ 각 도형에 그을 수 있는 대각선을 모두 그어 보면 그을 수 있는 대각선의 수는 다음과 같은 규칙이 있습니다.

| 사각형: 2개 | +3개 | 오각형: 5개 | +4개 | 육각형: 9개 | +5개 | 칠각형: 14개 |

2 ㉠과 ㉡에 알맞은 수의 합을 구해 보세요.

• 한 변의 길이가 5 cm인 정칠각형의 모든 변의 길이의 합은 ㉠ cm입니다.
• 직사각형의 한 대각선의 길이가 16 cm일 때 다른 대각선의 길이는 ㉡ cm입니다.

❶ ㉠에 알맞은 수는 얼마일까요?

(**35**)

❖ 정다각형은 모든 변의 길이가 같으므로 정칠각형의 모든 변의 길이의 합은 5×7＝35 (cm)입니다. ➡ ㉠＝35

❷ ㉡에 알맞은 수는 얼마일까요?

(**16**)

❖ 직사각형은 두 대각선의 길이가 같습니다. ➡ ㉡＝16

❸ ㉠＋㉡의 값은 얼마일까요?

(**51**)

❖ ㉠＋㉡＝35＋16＝51

6. 다각형 · 85

4 주 사고력

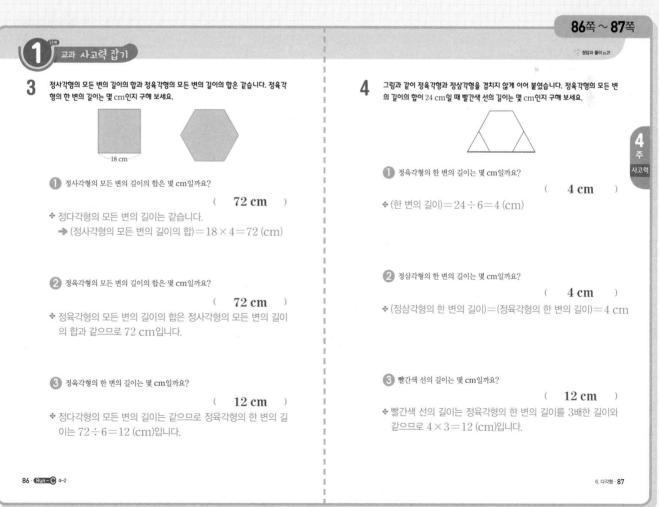

1 단계 교과 사고력 잡기

3 정사각형의 모든 변의 길이의 합과 정육각형의 모든 변의 길이의 합은 같습니다. 정육각형의 한 변의 길이는 몇 cm인지 구해 보세요.

18 cm

❶ 정사각형의 모든 변의 길이의 합은 몇 cm일까요?

(**72 cm**)

❖ 정다각형의 모든 변의 길이는 같습니다.
➡ (정사각형의 모든 변의 길이의 합)＝18×4＝72 (cm)

❷ 정육각형의 모든 변의 길이의 합은 몇 cm일까요?

(**72 cm**)

❖ 정육각형의 모든 변의 길이의 합은 정사각형의 모든 변의 길이의 합과 같으므로 72 cm입니다.

❸ 정육각형의 한 변의 길이는 몇 cm일까요?

(**12 cm**)

❖ 정다각형의 모든 변의 길이는 같으므로 정육각형의 한 변의 길이는 72÷6＝12 (cm)입니다.

4 그림과 같이 정육각형과 정삼각형을 겹치지 않게 이어 붙였습니다. 정육각형의 모든 변의 길이의 합이 24 cm일 때 빨간색 선의 길이는 몇 cm인지 구해 보세요.

❶ 정육각형의 한 변의 길이는 몇 cm일까요?

(**4 cm**)

❖ (한 변의 길이)＝24÷6＝4 (cm)

❷ 정삼각형의 한 변의 길이는 몇 cm일까요?

(**4 cm**)

❖ (정삼각형의 한 변의 길이)＝(정육각형의 한 변의 길이)＝4 cm

❸ 빨간색 선의 길이는 몇 cm일까요?

(**12 cm**)

❖ 빨간색 선의 길이는 정육각형의 한 변의 길이를 3배한 길이와 같으므로 4×3＝12 (cm)입니다.

4 주 사고력

6. 다각형 · 87

2 단계 교과 사고력 확장

1 진주는 은색 철사를 사용하여 그림과 같이 정삼각형 모양의 귀걸이를 만들려고 합니다. 진주가 가지고 있는 철사의 길이가 1 m 20 cm일 때 귀걸이를 몇 쌍까지 만들 수 있는지 구해 보세요.

귀걸이 한 쌍

① 귀걸이 한 쌍을 만드는 데 필요한 철사는 몇 cm일까요?

(**16 cm**)

✤ 귀걸이 한 개를 만드는 데 필요한 철사의 길이를 구하면
$2 \times 3 = 6$, $6 + 2 = 8$ (cm)입니다.
(귀걸이 한 쌍을 만드는 데 필요한 철사의 길이)$= 8 \times 2$
$= 16$ (cm)

② 1 m 20 cm는 몇 cm일까요?

(**120 cm**)

✤ 1 m 20 cm $= 120$ cm

③ 귀걸이를 몇 쌍까지 만들 수 있을까요?

(**7쌍**)

✤ $120 \div 16 = 7 \cdots 8$이므로 귀걸이를 7쌍까지 만들 수 있습니다.

---

2 조건을 만족하는 다각형에 그을 수 있는 대각선은 모두 몇 개인지 구해 보세요.

조건
· 변의 길이와 각의 크기가 모두 같습니다. → 정다각형
· 다각형과 한 변의 길이가 같은 정삼각형 6개로 겹치지 않고 빈틈없이 덮을 수 있습니다. → 정육각형
· 한 각의 크기는 120°입니다.

① 조건을 만족하는 도형을 그려 보세요.

(예)

✤ 조건을 만족하는 다각형은 정육각형입니다.

② 위 ①에서 그린 다각형에 그을 수 있는 대각선을 점선으로 모두 그어 보세요.

③ 조건을 만족하는 다각형에 그을 수 있는 대각선은 모두 몇 개일까요?

(**9개**)

✤ 정육각형에 그을 수 있는 대각선은 모두 9개입니다.

---

2 단계 교과 사고력 확장

3 사각형 ㄱㄴㄷㄹ은 한 대각선의 길이가 16 cm인 정사각형입니다. 삼각형 ㅁㄴㄷ의 세 변의 길이의 합은 몇 cm인지 구해 보세요.

11.3 cm

① 선분 ㄴㄷ의 길이는 몇 cm일까요?

(**11.3 cm**)

✤ 정사각형은 네 변의 길이가 모두 같으므로
(선분 ㄴㄷ)$=$(선분 ㄹㄷ)$= 11.3$ cm입니다.

② 선분 ㅁㄴ의 길이는 몇 cm일까요?

(**8 cm**)

✤ 정사각형은 두 대각선의 길이가 같으므로
(선분 ㄱㄷ)$=$(선분 ㄴㄹ)$= 16$ cm입니다.
정사각형의 한 대각선은 다른 대각선을 똑같이 둘로 나눕니다.
➡ (선분 ㅁㄴ)$= 16 \div 2 = 8$ (cm)

③ 삼각형 ㅁㄴㄷ의 세 변의 길이의 합은 몇 cm일까요?

(**27.3 cm**)

✤ (선분 ㅁㄷ)$=$(선분 ㅁㄴ)$= 8$ cm이므로 삼각형 ㅁㄴㄷ의 세 변의 길이의 합은 $8 + 8 + 11.3 = 27.3$ (cm)입니다.

---

4 정오각형의 변을 연장하여 만든 각 ㉠, ㉡, ㉢, ㉣, ㉤의 크기의 합을 구해 보세요.

108°

① 정오각형의 한 각의 크기는 몇 도일까요?

(**108°**)

✤ 정오각형은 삼각형 1개와 사각형 1개로 나눌 수 있으므로 정오각형의 모든 각의 크기의 합은 $180° + 360° = 540°$입니다.
➡ (정오각형의 한 각의 크기)$= 540° \div 5 = 108°$

② ㉠의 각도는 몇 도일까요?

(**72°**)

✤ ㉠$= 180° - 108° = 72°$

③ ㉠$+$㉡$+$㉢$+$㉣$+$㉤의 값을 구해 보세요.

(**360°**)

✤ ㉠$+$㉡$+$㉢$+$㉣$+$㉤$= 72° + 72° + 72° + 72° + 72°$
$= 72° \times 5 = 360°$

3 단계 교과 사고력 완성

평가 영역 □개념 이해력 ☑개념 응용력 □창의력 □문제 해결력

1 다음 모양을 네 변의 길이의 합이 모두 다른 4개의 직사각형으로 나누고 직사각형의 네 변의 길이의 합을 모두 구해 보세요.

(예)

직사각형의 네 변의 길이의 합	
① (	**12 cm**)
② (	**4 cm**)
③ (	**8 cm**)
④ (	**6 cm**)

❖ (직사각형 ①의 네 변의 길이의 합)
= (가로) + (세로) + (가로) + (세로) = 2+4+2+4 = 12 (cm),
(직사각형 ②의 네 변의 길이의 합) = 1+1+1+1 = 4 (cm),
(직사각형 ③의 네 변의 길이의 합) = 2+2+2+2 = 8 (cm),
(직사각형 ④의 네 변의 길이의 합) = 2+1+2+1 = 6 (cm)

평가 영역 □개념 이해력 ☑개념 응용력 □창의력 □문제 해결력

2 다음 모양을 변의 수가 모두 다른 4개의 다각형으로 나누고 다각형의 이름을 모두 써 보세요.

(예)

다각형의 이름	
① (	**사각형**)
② (	**오각형**)
③ (	**육각형**)
④ (	**삼각형**)

❖ 변의 수가 ■개인 다각형은 ■각형이라고 부릅니다.

평가 영역 □개념 이해력 □개념 응용력 ☑창의력 □문제 해결력

3 보기와 같이 크기가 같은 정삼각형 모양의 색종이 두 장을 서로 겹쳤을 때 겹쳐진 부분의 모양이 될 수 있는 것에 모두 ○표 하세요.

보기

겹쳐진 부분의 모양 →

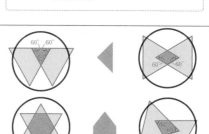

❖ 정삼각형의 한 각의 크기는 60°이므로 60°인 각을 먼저 찾고 정삼각형의 모양을 생각해 봅니다.

두 개의 정삼각형을 여러 방향으로 움직여 보면서 겹쳐진 부분의 모양을 살펴봅니다.

4 주 사고력

Test 종합평가 6. 다각형

맞은 개수

[1~2] 도형을 보고 물음에 답하세요.

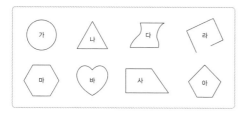

1 다각형을 모두 찾아 기호를 써 보세요.
(**나, 마, 사, 아**)

❖ 선분으로 둘러싸인 도형은 나, 마, 사, 아입니다.

2 정다각형을 모두 찾아 기호를 써 보세요.
(**나, 마**)

❖ 변의 길이가 모두 같고, 각의 크기가 모두 같은 정다각형은 나, 마입니다.

3 10개의 선분으로 둘러싸인 도형을 무엇이라고 할까요?
(**십각형**)

❖ 10개의 선분으로 둘러싸인 도형은 십각형입니다.

4 관계있는 것끼리 이어 보세요.

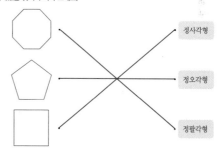

정사각형

정오각형

정팔각형

5 정다각형입니다. □ 안에 알맞은 수를 써넣으세요.

❖ 정다각형은 변의 길이와 각의 크기가 모두 같습니다.

6 점 종이에 주어진 선분을 이용하여 칠각형과 팔각형을 완성해 보세요.

칠각형 　　　　 팔각형

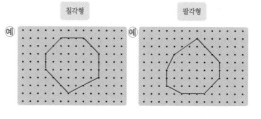

(예) 　　　　 (예)

4 주 평가

Test 종합평가 6. 다각형

7 다음 모양을 만들려면 ▲ 모양 조각은 몇 개 필요할까요?

(**18개**)

8 대각선이 서로 수직으로 만나는 사각형을 모두 찾아 기호를 써 보세요.

(**㉠, ㉢**)

❖ 대각선을 그었을 때 두 대각선이 서로 수직으로 만나는 사각형은 ㉠, ㉢입니다.

9 그을 수 있는 대각선의 수가 적은 것부터 차례로 기호를 써 보세요.

| ㉠ 오각형 | ㉡ 삼각형 | ㉢ 사각형 | ㉣ 육각형 | ㉤ 칠각형 |

(**㉡, ㉢, ㉠, ㉣, ㉤**)

❖ 꼭짓점의 수가 적을수록 그을 수 있는 대각선의 수가 적습니다.

10 정팔각형의 한 각의 크기는 135°입니다. 정팔각형의 모든 각의 크기의 합은 몇 도일까요?

(**1080°**)

❖ 정팔각형의 각은 8개이고, 각의 크기가 모두 같습니다.
➡ 135°×8=1080°

96 · Run - C 4-2

❖ 구각형의 변의 수는 9개이므로 ㉠=9입니다.
· 정오각형은 변의 길이가 모두 같으므로 한 변의
  길이는 35÷5=7 (cm)입니다. ➡ ㉡=7
➡ ㉠+㉡=9+7=16

11 왼쪽 모양 조각을 한 가지 종류만 사용하여 오른쪽 모양을 채우려면 각각의 모양 조각이 몇 개씩 필요한지 구해 보세요.

㉠ (**3개**)
㉡ (**6개**)

❖ ㉠ ⬡ ➡ 3개, ㉡ ⬡ ➡ 6개

12 ㉠과 ㉡에 알맞은 수의 합을 구해 보세요.

· 구각형의 변의 수는 ㉠개입니다.
· 모든 변의 길이의 합이 35 cm인 정오각형의 한 변의 길이는 ㉡ cm입니다.

(**16**)

13 주어진 모양 조각을 모두 사용하여 모양을 채워 보세요.

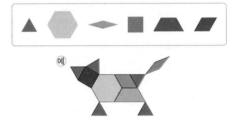

(예)

6. 다각형 · 97

Test 종합평가 6. 다각형

정답과 풀이 p.24

14 사각형 ㄱㄴㄷㄹ은 직사각형입니다. 선분 ㄱㅁ은 몇 cm인지 구해 보세요.

14 cm
10 cm

(**7 cm**)

❖ 직사각형은 두 대각선의 길이가 같고, 한 대각선이 다른 대각선을 똑같이 둘로 나눕니다.
➡ (선분 ㄱㄷ)=(선분 ㄴㄹ)=14 cm, (선분 ㄱㅁ)=14÷2=7 (cm)

15 사각형 ㄱㄴㄷㄹ은 정사각형입니다. 각 ㄱㄹㅁ은 몇 도일까요?

(**45°**)

❖ 정사각형의 두 대각선은 서로 수직으로 만나고, 두 대각선의 길이가 같습니다. 또, 한 대각선이 다른 대각선을 똑같이 둘로 나누므로 삼각형 ㄱㅁㄹ은 (선분 ㄱㅁ)=(선분 ㄹㅁ)인 이등변삼각형이고 각 ㄱㅁㄹ의 크기는 90°입니다.
➡ (각 ㄱㄹㅁ)+(각 ㄹㄱㅁ)=180°-90°=90°, (각 ㄱㄹㅁ)=90°÷2=45°

16 다음 도형은 정다각형이 아닙니다. 그 이유를 설명해 보세요.

(풀이) (예) **주어진 도형은 각의 크기가 모두 같지만 변의 길이가 모두 같지는 않기 때문에 정다각형이 아닙니다.**

17 정십이각형의 한 각의 크기를 구해 보세요.

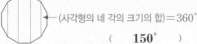

(사각형의 네 각의 크기의 합)=360°

(**150°**)

❖ (정십이각형의 모든 각의 크기의 합)=360°×5=1800°
(정십이각형의 한 각의 크기)=1800°÷12=150°

98 · Run - C 4-2

1 축구공은 거의 완벽한 공 모양처럼 보이지만 정확히는 공 모양이 아닙니다. 축구공을 들여다보면 어떤 모양의 조각들로 이루어져 있는 것을 볼 수 있는데 바로 12개의 정오각형과 20개의 정육각형입니다. 축구공이 이런 모양으로 만들어진 이유는 대부분의 축구공이 가죽으로 만들어지기 때문입니다. 물론 완벽한 공 모양이어야 가장 잘 굴러가겠지만, 편평한 가죽으로 완벽한 공 모양을 만드는 것은 쉽지 않습니다. 수학자들이 열심히 연구한 결과 정오각형 12개와 정육각형 20개를 붙이면 거의 완벽한 공 모양을 만들 수 있다는 것을 알아냈고 그렇게 축구공을 만들고 있습니다. 물음에 답하세요.

(1) 한 개의 정오각형 조각은 몇 개의 정육각형 조각과 변끼리 맞닿아 있을까요?

(**5개**)

❖ 정오각형 조각은 변이 5개이므로 정육각형 조각 5개와 변끼리 맞닿아 있습니다.

(2) 축구공을 편평하게 펼쳤을 때 한 꼭짓점을 둘러싸고 있는 다각형의 각의 크기를 □ 안에 써넣고 각의 크기의 합이 360°보다 큰지 작은지 구해 보세요.

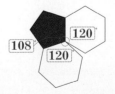

108
120
120

❖ 축구공의 한 꼭짓점을 둘러싸고 (**360°보다 작습니다.**)
있는 다각형은 정오각형 1개와 정육각형 2개입니다.
정오각형의 한 각의 크기: 180°×3=540°, 540°÷5=108°
정육각형의 한 각의 크기: 180°×4=720°, 720°÷6=120°
108°+120°+120°=348° ➡ 따라서 축구공의 한
꼭짓점을 둘러싸고 있는 다각형의 각의 크기의 합은 360°보다 작습니다.

6. 다각형 · 99

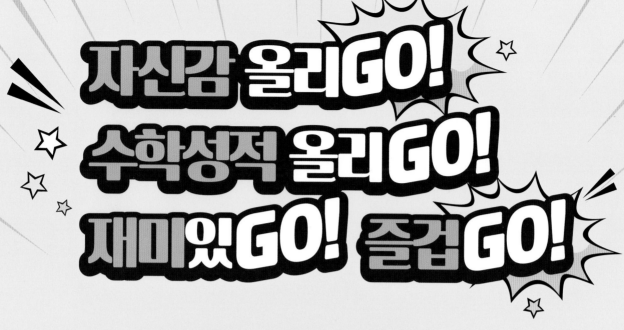

자신감 올리GO!
수학성적 올리GO!
재미있GO! 즐겁GO!

GO!

우리는 <교과서+사고력>으로 수학을 신나게 공부해요!

GO! 매쓰

자세한 문의는 ⎵⎵⎵ - ⎵⎵⎵⎵ - ⎵⎵⎵⎵

GO! 매쓰

GO!

수학4-2

정답과 풀이

Jump

유형 사고력

Run

교과서 사고력

Start

교과서 개념